LES ORIGINES DE L'ALCHIMIE

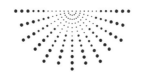

MARCELLIN BERTHELOT

TABLE DES MATIÈRES

PRÉFACE

$\mathcal{L}$e monde est aujourd'hui sans mystère : la conception rationnelle prétend tout éclairer et tout comprendre ; elle s'efforce de donner de toutes choses une explication positive et logique, et elle étend son déterminisme fatal jusqu'au monde moral. Je ne sais si les déductions impératives de la raison scientifique réaliseront un jour cette prescience divine, qui a soulevé autrefois tant de discussions et que l'on n'a jamais réussi à concilier avec le sentiment non moins impératif de la liberté humaine. En tout cas, l'univers matériel entier est revendiqué par la science, et personne n'ose plus résister en face à cette revendication. La notion du miracle et du surnaturel s'est évanouie comme un vain mirage, un préjugé suranné.

Il n'en a pas toujours été ainsi ; cette conception purement rationnelle n'est apparue qu'au temps des Grecs ; elle ne s'est généralisée que chez les peuples européens, et seulement depuis le XVIIIᵉ siècle. Même de nos jours, bien des esprits éclairés demeurent engagés dans les liens du spiritisme et du magnétisme animal.

Aux débuts de la civilisation, toute connaissance affectait une forme religieuse et mystique. Toute action était attribuée aux dieux, identifiés avec les astres, avec les grands phénomènes célestes et terrestres, avec toutes les forces naturelles. Nul alors n'eut osé accomplir une œuvre politique, militaire, médicale, industrielle, sans recourir à la formule sacrée, destinée à concilier la bonne volonté des puissances mystérieuses qui gouvernaient l'univers. Les opérations réfléchies et rationnelles ne venaient qu'ensuite, toujours étroitement subordonnées.

Cependant, ceux qui accomplissaient l'œuvre elle-même ne tardèrent pas à s'apercevoir que celle-ci se réalisait surtout par le travail efficace de la raison et de l'activité humaines. La raison introduisit à son tour, pour ainsi dire subrepticement, ses règles précises dans les recettes d'exécution pratique ; en attendant le jour où elle arriverait à tout dominer. De là une période nouvelle, demi-rationaliste et demi-mystique, qui a précédé la naissance de la science pure. Alors fleurirent les sciences intermédiaires, s'il est permis de parler ainsi : l'astrologie, l'alchimie, la vieille médecine des vertus des pierres et des talismans, sciences qui nous semblent aujourd'hui chimériques et charlatanesques. Leur apparition a marqué cependant un progrès immense à un certain jour et fait époque dans l'histoire de l'esprit humain. Elles ont été une transition nécessaire entre l'ancien état des esprits, livrés à la magie et aux pratiques théurgiques, et l'esprit actuel, absolument positif, mais qui, même de nos jours, semble trop dur pour beaucoup de nos contemporains.

L'évolution qui s'est faite à cet égard, depuis les Orientaux jusqu'aux Grecs et jusqu'à nous, n'a pas été uniforme et parallèle dans tous les ordres. Si la science pure s'est dégagée bien vite dans les mathématiques, son règne a été plus retardé dans l'astronomie, où l'astrologie a subsisté parallèlement jusqu'aux Temps modernes. Le progrès a été surtout plus lent en chimie, où l'alchimie, science mixte, a conservé ses espérances merveilleuses jusqu'à la fin du siècle dernier.

L'étude de ces sciences équivoques, intermédiaires entre la connaissance positive des choses et leur interprétation mystique, offre une grande importance pour le philosophe. Elle intéresse également les savants désireux de comprendre l'origine et la filiation des idées et des mots qu'ils manient continuellement. Les artistes, qui cherchent à reproduire les œuvres de l'antiquité, les industriels, qui appliquent à la culture matérielle les principes théoriques, veulent aussi savoir quelles étaient les pratiques des anciens, par quels procédés ont été fabriqués ces métaux, ces étoffes, ces produits souvent admirables qu'ils nous ont laissés. L'étroite connexion qui existe entre la puissance intellectuelle et la puissance matérielle de l'homme se retrouve partout dans l'histoire ; c'est le sentiment secret de cette connexion qui fait comprendre les rêves d'autrefois sur la toute-puissance de la science. Nous aussi nous croyons à cette toute-puissance, quoique nous l'atteignions par d'autres méthodes.

Telles sont les vues qui m'ont amené à m'occuper des Origines de l'Alchimie, à chercher à faire revivre cette doctrine perdue, à retracer l'histoire de ses adeptes, de ses laboratoires et de ses idées. Je me suis cru appelé à cette étude. En effet, les débuts de la science que je cultive depuis tant d'années m'ont souvent préoccupé ; mais les renseignements brefs et incomplets adonnés à cet égard dans les histoires de la chimie étaient plutôt de nature à piquer la curiosité qu'à la satisfaire. Ces origines ont quelque chose de bizarre. La chimie, la plus positive peut-être des sciences, celle dont nous maîtrisons le plus directement l'objet, débute par des imaginations extravagantes sur l'art de faire de l'or et de transmuter les métaux ; ses premiers adeptes sont des hallucinés, des fous et des charlatans, et cet état de choses dure jusqu'au XVIIIe siècle, moment où la vraie doctrine remplace l'antique alchimie. Aussi les chimistes sérieux ont-ils hâte en général de se détourner de celle-ci ; ce qui explique l'abandon dans lequel son histoire est tombée. C'est un fait bien connu de tous ceux qui ont enseigné, à savoir que les spécialistes étudient surtout une science en vue de ses applications : la plupart ne se tourmentent guère de son passé. L'Histoire des sciences attire surtout les philosophes et les gens curieux de la marche générale de l'esprit humain. Mais, si les spécialistes n'aiment ni les récits historiques ni les abstractions, par contre les philosophes sont arrêtés en chimie par le caractère technique du langage et le tour particulier des idées. Ils ont besoin d'être initiés par quelque personne compétente ; nécessité plus grande s'il se peut que partout ailleurs dans une science qui a changé de fond en comble, il y a cent ans, le système général de ses idées. Or, tel est le rôle que je me propose de remplir.

Je demande la permission d'entrer dans quelques détails sur la composition de cet ouvrage ; ne fut-ce que pour marquer au Public mon respect, en lui disant quelles sont mes références et mes autorités.

Depuis bien des années, je réunissais des notes sur l'histoire de la chimie, lorsque le voyage que je fis en Orient en 1869, à l'occasion de l'inauguration du canal de Suez, la visite des ruines des villes et des temples de l'ancienne Égypte, depuis Alexandrie jusqu'à Thèbes et Philæ, l'aspect enfin des débris de cette civilisation qui a duré si longtemps et s'est avancée si loin dans ses industries, reportèrent mon esprit vers les connaissances de chimie pratique que celles-ci supposent nécessairement.

Les alchimistes prétendaient précisément faire remonter leur science à l'Égypte. C'était la doctrine sacrée, révélée par Hermès à ses prêtres. Mais où retrouver les traces positives de cet ordre de connaissances ? Mariette, que j'entretins souvent à ce sujet, ne put rien m'apprendre. Un mémoire de Lepsius, sur les métaux égyptiens, traduit en 1877 pour la Bibliothèque des Hautes Études, me fournit cependant de premières ouvertures. En le comparant avec ce que je savais déjà des premiers alchimistes, par l'Encyclopédie méthodique et par les histoires de Kopp et de Hœfer, je commençai à comprendre la suite des idées qui avaient guidé les premiers essais de transmutation et je pensai à m'en expliquer par écrit. Madame Adam, avec ce zèle aimable des choses de l'esprit et cette vive curiosité qui la distinguent, m'encouragea dans cette intention, et elle me pressa d'y donner suite dans la Revue nouvelle. Je le promis volontiers. Mais j'étais alors occupé de deux grands ouvrages : l'Essai de Mécanique chimique et le traité sur la Force des matières explosives. Leur publication, terminée en 1883, me permit de revenir à mon projet d'étude sur l'alchimie. En le rédigeant, je vis la nécessité de prendre connaissance des Manuscrits grecs, inédits jusqu'à présent, qui renferment les plus anciens documents connus sur cette question. J'allai les consulter à la Bibliothèque nationale, et M. Omont voulut bien m'aider au début de mon examen. Le sujet prit alors une extension inattendue : ce que je pus déchiffrer me découvrit une région nouvelle et à peu près inexplorée de l'histoire des idées ; ce fut une véritable résurrection. En effet, les premiers alchimistes étaient associés aux cultes et aux doctrines mystiques qui ont présidé à la fondation du christianisme ; ils participaient aux opinions et aux préjugés de cette curieuse époque. J'entrepris de pénétrer leur doctrine, jusqu'ici si énigmatique. La Bibliothèque nationale de Paris voulut bien me confier ses précieux manuscrits ; je surmontai les difficultés du déchiffrement et celles plus grandes encore, qui résultaient de ma connaissance un peu lointaine de la langue grecque, à l'étude de laquelle j'avais renoncé depuis quarante années. Elle se retrouva cependant dans ma mémoire, plus fraîche que je n'osais l'espérer. J'exposai mes premiers résultats dans deux articles publiés par la Nouvelle Revue, au commencement de l'année 1884 ; articles que les nombreux lecteurs de cette Revue ont bien voulu accueillir avec une faveur, dont j'ai conservé les sympathiques témoignages.

Mais ce n'était là qu'une entrée en matière. Depuis lors je n'ai cessé d'approfondir l'étude des manuscrits et de rechercher tous les textes des auteurs anciens se rapportant à la chimie, textes plus nombreux et plus explicites qu'on ne le croit communément. J'y ai récolté une multitude de renseignements, qui ont donné à mon œuvre plus de précision et de solidité.

C'est ainsi que mon premier travail s'est transformé en un livre, composé de première main et d'après des documents en grande partie inédits.

Les Papyrus grecs que nous a légués l'ancienne Égypte, et qui sont conservés dans les Musées de Leide, de Berlin et du Louvre, à Paris, m'ont procuré pour cet objet les plus précieux renseignements. Ils confirment pleinement les résultats fournis par l'étude des Manuscrits des Bibliothèques, auxquels je me suis particulièrement attaché.

Non seulement, j'ai fait une analyse complète des principaux Manuscrits parisiens ; mais j'ai pu, grâce à l'esprit libéral du gouvernement italien, comparer les textes que nous possédons avec ceux d'un Manuscrit de saint Marc à Venise, legs de Bessarion, le plus beau et le plus vieux de tous ; car les paléographes déclarent qu'il remonte à la fin du Xe siècle, ou au commencement du XIe siècle de notre ère. Les ouvrages qu'il renferme sont d'ailleurs les mêmes que les nôtres. Les manuscrits de Venise, aussi bien que ceux de Paris, sont formés par des traités dont les copies existent aussi dans les principales Bibliothèques d'Europe. Ces traités constituent une véritable collection, d'un caractère semblable dans les divers Manuscrits. J'ai traduit un grand nombre de fragments de ces traités ; traduction difficile à cause de l'obscurité des textes et des fautes mêmes des copistes : je réclame à cet égard toute l'indulgence du lecteur. Parmi ces traductions, j'appellerai particulièrement l'attention sur les passages où Stéphanus expose la théorie de la matière première et du mercure des philosophes et sur un morceau d'Olympiodore, qui relate les doctrines des philosophes ioniens, d'après des sources aujourd'hui perdues et qui les compare avec celle des maîtres de l'Alchimie. Peut-être les historiens de la philosophie grecque y trouveront-ils quelque nouvelle lumière, sur un sujet à la fois si intéressant et si obscur.

Je crois avoir réussi à établir par mes analyses le mode général de composition de cette collection de traités, sorte de Corpus des Alchimistes grecs, formé par les Byzantins, en même temps que les extraits de Photius et de Constantin Porphyrogénète.

J'en ai mis en lumière les auteurs, j'ai relevé tous les traits qu'il m'a été possible de retrouver sur leur individualité et j'ai montré notamment comment ils se rattachent d'abord à une école Démocritaine, florissante en Égypte vers les débuts de l'ère chrétienne, puis aux Gnostiques et aux Néoplatoniciens.

J'ai retrouvé non seulement la filiation des idées qui les avaient conduits à poursuivre la transmutation des métaux ; mais aussi la théorie, la philosophie dc la nature qui leur servait de guide ; théorie fondée sur l'hypothèse de l'unité de la matière et aussi plausible au fond que les théories modernes les plus réputées aujourd'hui. Cette théorie, construite par les Grecs, a été adoptée par les Arabes et par les savants du Moyen Age, au milieu des développements d'une pratique industrielle sans cesse perfectionnée. Mais dans ce genre de doctrines, pas plus que dans les autres théories physiques ou naturelles, le Moyen Age n'a été créateur : on sait combien cette époque est demeurée stérile dans l'ordre scientifique.

C'est ainsi que les systèmes des Grecs sur la matière et sur la nature sont venus jusqu'aux Temps modernes. Nul n'ignore les transformations profondes qu'ils ont alors subies, sous l'influence de l'évolution des esprits accomplie au moment de la Renaissance. En Chimie même le changement des idées s'est fait plus tard : il date d'un siècle à peine. Or, circonstance étrange ! les opinions auxquelles les savants tendent à revenir aujourd'hui sur la constitution de la matière ne sont pas sans quelque analogie avec les vues profondes des premiers alchimistes.

C'est ce que je chercherai à montrer, en rapprochant conceptions d'autrefois avec les systèmes et les théories des chimistes modernes : ce résumé de la philosophie chimique de tous les temps forme ma conclusion.

Les divisions du présent ouvrage, sont les suivantes : les sources, les personnes, les faits, les théories ; elles trop simples pour y insister[1].

Un mot en terminant : mon travail achevé ne me laissait pas sans quelque inquiétude sur les conditions de sa publication, lorsque j'ai eu la bonne fortune de rencontrer un éditeur qui s'est associé avec enthousiasme à mon œuvre et qui n'a reculé devant aucun sacrifice pour en faire un livre exceptionnel. Puisse le public accueillir mon essai avec la même bienveillance et l'honorer de la même faveur !

Paris, 15 décembre 1884.
M. Berthelot

---

1. Marcellin Berthelot annonce ensuite des annexes en grec, non incluse dans cette nouvelle édition.

INTRODUCTION

*L*a chimie est née d'hier : il y a cent ans à peine qu'elle a pris la forme d'une science moderne. Cependant, les progrès rapides qu'elle a faits depuis ont concouru, plus peut-être que ceux d'aucune autre science, à transformer l'industrie et la civilisation matérielle, et à donner à la race humaine sa puissance chaque jour croissante sur la nature. C'est assez dire quel intérêt présente l'histoire des commencements de la chimie. Or ceux-ci ont un caractère tout spécial : la chimie n'est pas une science primitive, comme la géométrie ou l'astronomie ; elle s'est constituée sur les débris d'une formation scientifique antérieure ; formation demi-chimérique et demi-positive, fondée elle-même sur le trésor lentement amassé des découvertes pratiques de la métallurgie, de la médecine, de l'industrie et de l'économie domestique. Il s'agit de l'alchimie, qui prétendait à la fois enrichir ses adeptes en leur apprenant à fabriquer l'or et l'argent, les mettre à l'abri des maladies par la préparation de la panacée, enfin leur procurer le bonheur parfait en les identifiant avec l'âme du monde et l'esprit universel. L'histoire de l'alchimie est fort obscure. C'est une science sans racine apparente, qui se manifeste tout à coup au moment de la chute de l'empire romain et qui se développe pendant tout le moyen âge, au milieu des mystères et des symboles, sans sortir de l'état de doctrine occulte et persécutée : les savants et les philosophes s'y mêlent et s'y confondent avec les hallucinés, les charlatans et parfois même avec les scélérats. Cette histoire mériterait d'être abordée dans toute son étendue par les méthodes de la critique moderne. Sans entreprendre une aussi vaste recherche qui exigerait toute une vie de savant, je voudrais essayer de percer le mystère des origines de l'alchimie et montrer par quels liens elle se rattache à la fois aux procédés industriels des anciens Égyptiens, aux théories spéculatives des philosophes grecs et aux rêveries mystiques des alexandrins et des gnostiques.

Dans mon étude, je m'appuierai d'une part sur les travaux modernes concernant les métaux dans l'antiquité, principalement sur le mémoire de Lepsius relatif aux « métaux dans les inscriptions égyptiennes » [1] ; d'autre part, je recourrai aux plus anciens documents écrits sur l'alchimie.

Je ne me suis pas borné à consulter les doctes histoires de la chimie, composées par H. Kopp et par Hœfer ; j'ai relu moi-même tous les passages des auteurs grecs et latins sur ce sujet ; j'ai eu également connaissance des papyrus égyptiens, magiques et alchimiques, de Leide, écrits en grec vers le IIIe ou IVe siècle, et qui sont analysés dans les *Lettres de Reuvens à M.Letronne*. J'ai entre les mains la photographie et la copie de deux feuillets de l'un d'entre eux, jusqu'ici inédit. M.Leemans, le savant directeur du musée de Leide a bien voulu copier aussi pour moi deux autres articles de ce papyrus. M. Révillout, professeur d'Égyptologie au Louvre, m'a fourni le concours précieux de son érudition, pour l'histoire de la fin du paganisme en Égypte. Je dois aussi des renseignements très importants à M. Maspéro, notre grand égyptologue, qui a même eu connaissance des débris d'un ancien laboratoire, trouvé à Dongah, près Siout. M. Derenbourg, si compétent pour les études arabes, m'a signalé les ouvrages en cette langue qui traitent de l'histoire de l'alchimie ; et il a eu l'obligeance de traduire pour moi plusieurs pages du *Kitab-al-Fihrist*, recueil encyclopédique écrit au IXe siècle et dans lequel se trouvent les noms et les titres des livres d'alchimie connus à cette époque.

Enfin, j'ai procédé à un examen très détaillé des manuscrits alchimiques grecs, conservés à la Bibliothèque nationale depuis le temps de FrançoisIer, et que M. Omont m'a communiqués avec une obligeance inépuisable. Je les ai étudiés pendant près d'une année. J'ai même pu faire venir de Venise, grâce à la libéralité du gouvernement Italien, un manuscrit grec, écrit sur parchemin, conservé dans la Bibliothèque de Saint-Marc, lequel remonte au XIe ou XIIe siècle de notre ère : c'est le plus ancien manuscrit connu de cette espèce.

Plusieurs auteurs et traités contenus dans les manuscrits remontent à la même époque que les papyrus. Ces auteurs, ces traités, et même certains passages qui en sont extraits ont été cités dès le VIIIe siècle par les polygraphes byzantins et rappelés aussi par les Arabes. Non seulement ces manuscrits m'ont procuré des renseignements nouveaux et inédits sur les sources de l'alchimie ; mais la comparaison de quelques-uns de leurs textes, avec ceux de Platon et des philosophes grecs, fournit des lumières inattendues sur les théories qui guidaient les premiers alchimistes ; elle fait comprendre pourquoi ils se déclaraient eux-mêmes, dès le IVe siècle de notre ère, « les nouveaux commentateurs d'Aristote et de Platon [2] ». Le nom de philosophie chimique ne date pas de notre temps ; dès ses premiers jours, la Chimie a prétendu être une philosophie de la nature.

Voici le plan du présent ouvrage, établi d'après l'ensemble des données que je viens d'énumérer.

Je dirai d'abord quelle idée les premiers alchimistes se faisaient des origines de leur science, idée qui porte le cachet et la date des conceptions religieuses et mystiques de leur époque ; je préciserai cette corrélation, en comparant l'état des croyances aux IIe et IIIe siècles de notre ère et les faits cités par les historiens, avec les textes mêmes que les alchimistes grecs nous ont laissés. Ces textes, contemporains des écrits des gnostiques et de ceux des derniers néoplatoniciens, établissent la filiation complexe, à la fois égyptienne, babylonienne et grecque, de l'alchimie. Ils comprennent, je le répète, des papyrus conservés dans le musée de Leide, et des manuscrits écrits sur parchemin, sur papier coton et sur papier ordinaire, lesquels existent dans la plupart des grandes bibliothèques d'Europe, notamment dans la Bibliothèque nationale de Paris.

Tel est le sujet traité dans le Livre I – du présent ouvrage, livre consacré aux *sources*.

Dans le Livre II, j'étudie les *personnes*, c'est-à-dire les alchimistes dont les noms figurent dans les papyrus et sont inscrits en tête des traités grecs contenus dans nos manuscrits.

Le Livre III – est réservé aux *faits* ; je veux dire qu'il précise la filiation positive de l'alchimie, en résumant ce que nous savons des connaissances usuelles des Égyptiens relatives aux métaux, et en les rapprochant des recettes alchimiques relatées par les papyrus et les manuscrits.

Ce n'est là d'ailleurs qu'une partie de la question. A côté des praticiens, il y eut de bonne heure des théoriciens, qui avaient la prétention de dominer et de diriger les expérimentateurs. Les Grecs surtout, occu-

pés à transformer en philosophie les spéculations mystiques et religieuses de l'Orient, construisirent des théories métaphysiques subtiles
sur la constitution des corps et leurs métamorphoses. Ces théories se
manifestent dès l'origine de l'alchimie ; elles dérivent des doctrines de
l'école Ionienne et des philosophes naturalistes sur les éléments, et
plus nettement encore des doctrines platoniciennes sur la matière
première, qui est devenue le mercure des philosophes. Elles ont été
reprises successivement par les Arabes et par les adeptes du moyen
âge, et elles ont été soutenues jusqu'au temps de Lavoisier.

Le Livre IV – expose ces *théories* : j'y montre en effet dans les
doctrines des écoles Ionienne, Pythagoricienne et Platonicienne les
racines des théories alchimiques, telles que les Grecs d'Alexandrie les
ont conçues, puis transmises aux Arabes et par ceux-ci aux auteurs
Occidentaux du moyen âge ; et je termine en comparant ces doctrines
avec les idées que les chimistes se forment aujourd'hui sur la constitution de la matière.

---

1. Traduit par W. Berend, dans la *Bibliothèque de l'École des hautes études*, 3e fascicule,
1877.
2. Ms. 2.327 de la Bibliothèque nationale, f°195.

LIVRE PREMIER : LES SOURCES

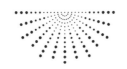

CHAPITRE PREMIER – DIVISION DU LIVRE

*T*oute science doit être placée dans son cadre historique, si l'on veut en comprendre le véritable caractère et la portée philoso-phique : ce travail est surtout nécessaire pour une doctrine en partie réelle et en partie mystique, telle que l'alchimie. C'est pourquoi nous allons comparer d'abord les assertions et les textes des premiers alchi-mistes avec les croyances religieuses et mystiques qui régnaient en Orient dans les premiers siècles de notre ère : ce sera l'objet du second chapitre (*sources mystiques*) et du troisième chapitre (*sources orientales, c'est-à-dire sources égyptiennes, babyloniennes, gnostiques et juives*).

Dans le chapitre IV – nous réunirons les *témoignages historiques*, c'est-à-dire les textes tirés des chroniqueurs et des autres auteurs authentiques grecs et latins, byzantins et arabes, susceptibles de contrôler les assertions des écrivains alchimiques et de fixer la date de leurs premiers travaux.

Cela fait, il conviendra d'examiner les documents que ces écrivains nous ont laissés. Ainsi le chapitre y sera consacré *aux papyrus de Leide*, le monument le plus ancien et le plus certain des recherches des Égyp-tiens relatives à la transformation des métaux.

Enfin dans le chapitre VI, je parlerai des manuscrits grecs, existant dans les bibliothèques et qui sont le fondement principal de nos connaissances sur les commencements de l'alchimie ; j'exposerai les résultats de l'étude nouvelle et approfondie que j'en ai faite ; je ferai l'analyse de quelques-uns des plus importants et j'en discuterai l'origine et la composition.

CHAPITRE II – LES ORIGINES MYSTIQUES

*L*es saintes Écritures rapportent qu'il y a un certain genre de démons ayant commerce avec les femmes. Hermès en a parlé dans ses livres sur la nature. Les anciennes et saintes Écritures disent que certains anges, épris d'amour pour les femmes, descendirent sur la terre, leur enseignèrent les œuvres de la nature ; et à cause de cela, ils furent chassés du ciel et condamnés à un exil perpétuel. De ce commerce naquit la race des géants. Le livre dans lequel ils enseignaient les arts est appelé *Chêma* : de là le nom de *Chêma* appliqué à l'art par excellence. Ainsi parlait Zosime le Panopolitain, le plus vieux des chimistes authentiques, exposant les origines de la chimie, dans son livre *Imouth* (c'est-à-dire dédié à *Imhotep,* dieu égyptien), livre adressé à sa sœur Théosébie. Ce passage est cité par Georges le Syncelle, polygraphe grec du VIIIᵉ siècle[1].

D'autres nous disent que ces œuvres de la nature, maudites et inutiles, enseignées par les anges tombés à leurs épouses, étaient l'art des poisons, des secrets des métaux et des incantations magiques (Tertullien). Le nom du livre Chêma se retrouve en Égypte sous la forme Chemi, titre d'un traité cité dans un papyrus de la XIIᵉ dynastie et recommandé par un scribe à son fils. Il est probable que le sujet en était tout différent. C'était un vieux titre, repris plus tard pour s'en autoriser, comme il est arrivé souvent dans l'antiquité. Quoi qu'il en soit, le passage de Zosime est des plus caractéristiques. Sans en conclure, avec les adeptes du XVIIᵉ siècle, que l'alchimie était déjà connue avant le déluge, il est certain qu'il nous reporte aux imaginations qui avaient cours en Orient dans les premiers siècles de l'ère chrétienne. Isis, dans son discours à son fils Horus, autre ouvrage alchimique des plus anciens, raconte également que la révélation lui fut faite par Amnael, le premier des anges et des prophètes, comme récompense de son commerce avec lui. Quelques lignes étranges du chapitreV de la Genèse, probablement d'origine babylonienne, ont servi de point d'attache à ces imaginations. « Les enfants de Dieu, voyant que les filles des hommes étaient belles, choisirent des femmes parmi elles. » De là naquit une race de géants, dont l'impiété fut la cause du déluge. Leur origine est rattachée à Énoch. Énoch lui-même est fils de Caïn et fondateur de la ville qui porte son nom, d'après l'une des généalogies relatées dans la Genèse (chapitre IV) ; il descendait au contraire de Seth et il disparut mystérieusement du monde, d'après la seconde généalogie (chapitre V). A ce personnage équivoque on attribua un ouvrage apocryphe composé un peu avant l'ère chrétienne, le livre d'Énoch, qui joue un rôle important dans les premiers siècles du christianisme. Georges le Syncelle nous a conservé des fragments considérables de ce livre, retrouvé depuis dans une version éthiopienne. Il en existe une traduction française imprimée dans le Dictionnaire des apocryphes de Migne, TI, p. 395-514. Dans ce livre, ce sont également les anges pécheurs qui révèlent aux mortelles les arts et les sciences occultes. « Ils habitèrent avec elles et ils leur enseignèrent la sorcellerie, les enchantements, les propriétés des racines et des arbres... , les signes magiques... , l'art d'observer les étoiles... il leur apprit aussi, dit encore le livre d'Énoch en parlant de l'un de ces anges, l'usage des bracelets et ornements, l'usage de la peinture, l'art de se peindre les sourcils, l'art d'employer les pierres précieuses et toutes sortes de teintures, de sorte que le monde fut corrompu. » Les auteurs du IIe et du IIIe siècle de notre ère reviennent souvent sur cette légende. Clément d'Alexandrie la cite (vers 200 de notre ère) dans ses Stromates, I, v. Tertullien en parle longuement. « Ils trahirent le secret des plaisirs mondains ; ils livrèrent l'or, l'argent et leurs œuvres ; ils enseignèrent l'art de teindre les toisons[2]. » De même : « Ils découvrirent les charmes mondains, ceux de l'or, des pierres brillantes et de leurs œuvres[3]. »

Ailleurs Tertullien dit encore : « ils mirent à nu les secrets des métaux ; ils firent connaître la vertu des plantes et la force des incantations magiques, et ils décrivirent ces doctrines singulières qui s'étendent jusqu'à la science des astres[4]. » On voit combien l'auteur est préoccupé des mystères des métaux, c'est-à-dire de l'alchimie, et comment il l'associe avec l'art de la teinture et avec la fabrication des pierres précieuses, association qui forme la base même des vieux traités alchimiques contemporains, retrouvés dans les papyrus et dans les manuscrits. La magie et l'astrologie, ainsi que la connaissance des vertus des plantes, remèdes et poisons, sont confondues par Tertullien avec l'art des métaux dans une même malédiction, et cette malédiction a duré pendant tout le moyen âge. Ailleurs Tertullien assimile ces anges qui ont abandonné Dieu par amour pour les femmes et révélé les arts interdits au monde inexpérimenté ; il les assimile, dis-je, à leurs disciples, les mages, les astrologues et les mathématiciens[5], et il établit un parallèle entre l'expulsion de ceux-ci de Rome, et celle des anges du ciel[6].

Il m'a paru nécessaire de développer ces citations, afin de préciser l'époque à laquelle Zosime écrivait : c'est l'époque à laquelle les imaginations relatives aux anges pécheurs et à la révélation des sciences occultes, astrologie, magie et alchimie, avaient cours dans le monde. On voit qu'il s'agit du IIIe siècle de notre ère. Les papyrus de Leide présentent également les recettes magiques associées aux recettes alchimiques.

La proscription de ceux qui cultivaient ces sciences n'est pas seulement un vœu de Tertullien, elle était effective et cela nous explique le soin avec lequel ils se cachaient eux-mêmes et dissimulaient leurs ouvrages sous le couvert des noms les plus autorisés. Elle nous reporte à des faits et à des analogies historiques non douteuses.

La condamnation des mathématiciens, c'est-à-dire des astrologues, magiciens et autres sectateurs des sciences occultes, était de droit commun à Rome. Tacite nous apprend que sous le règne de Tibère on rendit un édit pour chasser d'Italie les magiciens et les mathématiciens ; l'un d'eux, Pituanius, fut mis à mort et précipité du haut d'un rocher[7]. Sous Claude, sous Vitellius, nouveaux sénatus-consultes[8], atroces et inutiles, ajoute Tacite. En effet, dit-il ailleurs, ce genre d'hommes qui excite des espérances trompeuses est toujours proscrit et toujours recherché[9].

L'exercice de la magie et même la connaissance de cet art étaient réputés criminels et prohibés à Rome, ainsi que nous l'apprend formellement Paul, jurisconsulte du temps des Antonins. Paul nous fait savoir qu'il était interdit de posséder des livres magiques. Lorsqu'on les découvrait, on les brûlait publiquement et on en déportait le possesseur ; si ce dernier était de basse condition, on le mettait à mort. Telle était la pratique constante du droit romain. Or l'association de la magie, de l'astrologie et de l'alchimie, est évidente dans les passages de Tertullien cités plus haut. Cette association avait lieu particulièrement en Égypte. Les papyrus de Leide, trouvés à Thèbes, complètent et précisent ces rapprochements entre l'alchimie, l'astrologie et la magie ; car ils nous montrent que les alchimistes ajoutaient à leur art, suivant l'usage des peuples primitifs, des formules magiques propres à se concilier et même à forcer la volonté des dieux (ou des démons), êtres supérieurs que l'on supposait intervenir perpétuellement dans le cours des choses. La loi naturelle agissant par elle-même était une notion trop simple et trop forte pour la plupart des hommes d'alors : il fallait y suppléer par des recettes mystérieuses. L'alchimie, l'astrologie et la magie sont ainsi associées et entremêlées dans les mêmes papyrus. Nous observons le même mélange dans certains manuscrits du moyen âge, tels que le manuscrit grec 2.419 de la Bibliothèque nationale.

Cependant les formules magiques et astrologiques ne se retrouvent plus en général dans la plupart des traités alchimiques proprement dits. Il n'en est que plus intéressant de signaler les traces qui y subsistent encore. Tels sont le dessin mystérieux, désigné sous le nom de Chrysopée ou Art de faire de l'or de Cléopâtre et les alphabets magiques du manuscrit 2.249, analogues à ceux d'un papyrus cité par Reuvens et dont M. Leemans a reproduit le facsimile. La théorie de l'œuf philosophique, le grand secret de l'œuvre, symbole de l'univers et de l'alchimie, donnait surtout prise à ces imaginations. Les signes bizarres du scorpion et les caractères magiques transcrits dans nos manuscrits ; la sphère ou instrument d'Hermès pour prédire l'issue des maladies, dont les analogues se retrouvent à la fois dans le manuscrit 2419 et dans les papyrus de Leide ; la table d'émeraude, citée pendant tout le moyen âge, et les formules mystiques : « en haut les choses célestes, en bas les choses terrestres » qui se lisent dans les traités grecs, à côté des figures des appareils, attestent la même association. Si elle n'est pas plus fréquente dans les ouvrages parvenus jusqu'à nous, c'est probablement parce que ces manuscrits ont été épurés au moyen âge par leurs copistes chrétiens. C'est ce que l'on voit clairement dans le manuscrit grec de la Bibliothèque de saint Marc, le plus ancien de tous, car il paraît remonter au XIe siècle. On y trouve non seulement la Chrysopée de Cléopâtre (fol. 188) et la formule du scorpion (fol. 193), mais aussi le Labyrinthe de Salomon (fol. 1o2, vo), dessin cabalistique, et, sous forme d'additions initiales (fol. 4), une sphère astrologique, l'art d'interpréter les songes de Nicéphore, ainsi que des pronostics pour les quatre saisons. Les alphabets magiques s'y lisent encore ; mais on a essayé de les effacer (fol. 193), et l'on a gratté la plupart des mots rappelant l'œuf philosophique.

Il paraît s'être fait à cette époque, c'est-à-dire dès le Xᵉ ou XIᵉ siècle, un corps d'ouvrages, une sorte d'encyclopédie purement chimique, séparée avec soin de la magie, de l'astrologie et de la matière médicale. Mais ces diverses sciences étaient réunies à l'origine et cultivées par les mêmes adeptes.

On s'explique dès lors pourquoi Dioclétien fit brûler en Égypte les livres d'alchimie, ainsi que les chroniqueurs nous l'apprennent.

Dès la plus haute antiquité d'ailleurs, ceux qui s'occupent de l'extraction et du travail des métaux ont été réputés des enchanteurs et des magiciens. Sans doute ces transformations de la matière, qui atteignent au delà de la forme et font disparaître jusqu'à l'existence spécifique des corps, semblaient surpasser la mesure de la puissance humaine : c'était un empiétement sur la puissance divine. Voilà pourquoi l'invention des sciences occultes et même l'invention de toute science naturelle ont été attribuées par Zosime et par Tertullien aux anges maudits. Cette opinion n'a rien de surprenant dans leur bouche ; elle concorde avec le vieux mythe biblique de l'arbre du savoir, placé dans le paradis terrestre et dont le fruit a perdu l'humanité. En effet la loi scientifique est fatale et indifférente ; la connaissance de la nature et la puissance qui en résulte peuvent être tournées au mal comme au bien : la science des sucs des plantes est aussi bien celle des poisons qui tuent et des philtres qui troublent l'esprit, que celle des remèdes qui guérissent ; la science des métaux et de leurs alliages conduit à les falsifier, aussi bien qu'à les imiter et à mettre en œuvre pour une fin industrielle.

Leur possession, même légitime, corrompt l'homme. Aussi les esprits mystiques ont-ils toujours eu une certaine tendance à regarder la science, et surtout la science de la nature, comme sacrilège, parce qu'elle induit l'homme à rivaliser avec les dieux. La conception de la science détruit, en effet, celle du dieu antique, agissant sur le monde par miracle et par volonté personnelle : « C'est ainsi que la religion, par un juste retour, est foulée aux pieds ; la victoire nous égale aux dieux ! » s'écrie Lucrèce avec une exaltation philosophique singulière. « Ne crois pas cependant, ajoute-t-il, que je veuille t'initier aux principes de l'impiété et t'introduire dans la route du crime[10]. » Par suite de je ne sais quelles affinités secrètes entre les époques profondément troublées, notre siècle a vu reparaître la vieille légende, oubliée depuis seize cents ans. Nos poètes, A. de Vigny, Lamartine, Leconte de Lisle, l'ont reprise tour à tour. Dans *Eloha*, A. de Vigny ne dit qu'un mot :

Les peuples déjà vieux, les races déjà mûres
Avaient vu jusqu'au fond des sciences obscures.

Mais Lamartine, dans la *Chute d'un ange*, a serré de plus près le mythe. Il nous décrit la civilisation grandiose et cruelle des dieux géants, leur corruption, leur science, leur art des métaux :

Dès mon enfance instruit des arts mystérieux
Qu'on enseigne dans l'ombre aux successeurs des dieux...

Dans la douzième vision, au milieu des ministres de leurs crimes, apparaissent, par une assimilation presque spontanée, les agents des sciences maudites et les « alchimistes ».

Leconte de Lisle a repris le mythe des enfants d'Énoch et de Caïn, à un point de vue plus profond et plus philosophique. Après avoir parlé d'Hénokia :

La ville aux murs de fer des géants vigoureux...
Abîme où, loin des cieux aventurant son aile,
L'ange vit la beauté de la femme et l'aima...

le poète oppose, comme Lucrèce, au dieu jaloux qui a prédestiné l'homme au crime, la revanche de la science, supérieure à l'arbitraire divin et à la conception étroite de l'univers théologique :

J'effondrerai du ciel la voûte dérisoire...
Et qui t'y cherchera ne t'y trouvera pas...
Dans l'espace conquis les Choses déchaînées
Ne t'écouteront plus quand tu leur parleras.

Il y avait déjà quelque chose de cette antinomie, dans la haine contre la science que laissent éclater le livre d'Énoch et Tertullien. La science est envisagée comme impie, aussi bien dans la formule magique qui force les dieux à obéir à l'homme, que dans la loi scientifique qui réalise, également malgré eux, la volonté de l'homme, en faisant évanouir jusqu'à la possibilité de leur pouvoir divin. Or, chose étrange, l'alchimie, dès ses origines, reconnaît et accepte cette filiation maudite. Elle est d'ailleurs, même aujourd'hui, classée dans le recueil ecclésiastique de Migne parmi les sciences occultes, à côté de la magie et de la sorcellerie. Les livres où ces sciences sont traitées doivent être brûlés sous les yeux des évêques, disait déjà le code Théodosien[11]. Les auteurs étaient pareillement brûlés. Pendant tout le moyen âge, les accusations de magie et d'alchimie sont associées et dirigées à la fois contre les savants que leurs ennemis veulent perdre. Au XVe siècle même, l'archevêque de Prague fut poursuivi pour nécromancie et alchimie, dans ce concile de constance qui condamna Jean Huss. Jusqu'au XVIe siècle, ces lois subsistèrent. Hermolaus Barbarus, patriarche d'Aquilée, nous apprend, dans les notes de son Commentaire sur Dioscoride[12], qu'à Venise, en 1530, un décret interdisait l'art des chimistes sous la peine capitale ; afin de leur éviter toute tentation criminelle, ajoute-t-il. Telle est, je le répète, la traduction constante du moyen âge.

C'est ainsi que l'alchimie nous apparaît vers le IIIe siècle de notre ère, rattachant elle-même sa source aux mythes orientaux, engendrés ou plutôt dévoilés au milieu de l'effervescence provoquée par la dissolution des vieilles religions.

---

1. Édition Goar, 1562. Scaliger a reproduit ce passage (*Eusebiana*, p. 834,) mais en l'attribuant à tort à Photius, au lieu de Georges le Syncelle.
2. *De idolatria*, IX, D.
3. *De cultu feminarum*, X.
4. *De cultu feminarum*, I, II, B.
5. *Apologeticus*, XXV, C.
6. *De idolatria*, IX, D.
7. *Annales*, II, 32.
8. *Annales*, XII, 52. *Hist.*, II, 62.
9. *Hist.*, I, 22.
10. *De natura rerum*, I. I.
11. *Livre IX, titre XVI, 12.*
12. *Corollarium...*, fol. 73.

CHAPITRE III – SOURCES ÉGYPTIENNES, CHALDÉENNES, JUIVES, GNOSTIQUES

§ 1. — SOURCES ÉGYPTIENNES

*L*es sources égyptiennes de l'alchimie sont moins équivoques que ses origines mystiques. Tous les alchimistes les invoquent d'un concert unanime, depuis le IIIe siècle jusqu'au XVIIe. Les papyrus de Leide, tirés d'un tombeau de Thèbes, les confirment par une preuve sans réplique et lèvent les derniers doutes que pouvait laisser une science qui débute par l'apocryphisme. Elle se rattache en effet par une tradition constante à Hermès Trismégiste, inventeur des arts et des sciences chez les Égyptiens.

Faut-il admettre avec Zosime et avec Olympiodore, les premiers auteurs alchimistes authentiques, qu'il existait en Égypte, à côté des doctrines officielles et publiques, contenues dans l'Encyclopédie hermétique que nous citerons tout à l'heure, un ensemble de connaissances tenues secrètes au fond des temples, et qu'il était interdit de révéler ? Elles seraient sorties, en quelque sorte, d'un long mystère vers le IIIe siècle de notre ère, mais en conservant toujours une expression mystique et symbolique qui en trahit l'origine. Zosime le Panopolitain, écrivain du IIIe siècle, nous fait le récit suivant, cité et reproduit par Olympiodore, contemporain de Théodose : « Ici est confirmé le livre de Vérité : Zosime à Théosébie, salut. Tout le royaume d'Égypte est soutenu par ces arts psammurgiques[1]. Il n'est permis qu'aux prêtres de s'y livrer. On les interprète d'après les stèles des anciens et celui qui voudrait en révéler la connaissance serait puni, au même titre que les ouvriers qui frappent la monnaie royale, s'ils en fabriquaient secrètement pour eux-mêmes. Les ouvriers et ceux qui avaient la connaissance des procédés travaillaient seulement pour le compte des rois, dont ils augmentaient les trésors. Ils avaient leurs chefs particuliers et il s'exerçait une grande tyrannie dans la préparation des métaux... C'était une loi chez les Égyptiens de ne rien publier à ce sujet. » Il y a là le souvenir des industries métallurgiques, dont les rois s'étaient réservé le monopole, industries décrites par Agatharchide dans son ouvrage sur la mer Rouge. Une partie de cette dernière description est même transcrite dans le manuscrit de Saint-Marc[2]. Les cruautés exercées dans l'exploitation des mines d'or ont été racontées par Diodore de Sicile, d'après Agatharchide.

Zosime nous apprend ailleurs que la connaissance de l'art sacré, c'est-à-dire de l'alchimie, ne pouvait être communiquée qu'aux fils des rois ; précisément comme la magie, d'après ce que nous savons.

Clément d'Alexandrie[3] dit pareillement : « Les prêtres ne communiquent leurs mystères à personne, les réservant pour l'héritier du trône, ou pour ceux d'entre eux qui excellent en vertu et en sagesse. » De même sur la statue de Ptahmer, grand prêtre de Memphis, qui est aujourd'hui au Louvre, on lit : « Il n'était rien qui lui fût caché ; il couvrait d'un voile le sens de tout ce qu'il avait vu. » Plutarque écrit aussi, en parlant des Égyptiens : « Leur philosophie couvrait plusieurs mystères sous le voile des fables. »

« Cache ceci », nous dit le manuscrit 2.327, fol.271, après l'exposé d'une courte recette. — « Cache ce secret, dit-il encore, car il contient toute l'œuvre, » (fol. 274). Dans les recettes positives qui nous ont été transmises, il y a souvent une partie réservée, tenue occulte à dessein.

Les textes relatifs à l'œuf philosophique, autrement dit la pierre d'Égypte, et au dragon se mordant la queue, l'un et l'autre emblèmes de l'univers aussi bien que de l'alchimie, renferment toute une nomenclature symbolique, employée par les adeptes de l'art sacré.

« Les anciens appellent l'œuf : pierre de cuivre, pierre d'Arménie, pierre d'Égypte ; d'autres, l'image du monde. Sa coquille est le cuivre, l'alliage de cuivre, de plomb, l'alliage de fer et de cuivre. La coquille calcinée signifie *asbestos* (chaux), arsenic, sandaraque, terre de Chio, etc. Les parties liquides de l'œuf sont la rouille de cuivre, l'eau de cuivre verte... Le blanc d'œuf s'appelle gomme, suc du figuier, suc du tithymale. Le jaune, minerai de cuivre concret... ocre attique, safran de Cilicie. Le mélange de la coquille et de son contenu est la magnésie (minerai de plomb ?), le corps (métal) de la magnésie, l'alliage de plomb et cuivre, l'argent commun... » Puis viennent les traductions des mots liquide blanc et liquide jaune, composition jaune.

On voit dès lors quel est le vague et l'incertitude des recettes que nous lisons dans ces vieux auteurs. Aussi les alchimistes grecs, le pseudo-Démocrite, Zosime, Synésius, Olympiodore s'en réfèrent-ils continuellement au langage énigmatique de leurs maîtres, aux livres secrets des anciens, au livre traditionnel des ancêtres. »

C'était un devoir religieux de parler par énigmes, car le philosophe dit : « Ce que les hommes écrivent, les dieux[4] en sont jaloux.» De là un symbolisme et des allégories continuels, devenus indéchiffrables (à supposer qu'ils aient jamais eu un sens scientifique), faute des explications orales par lesquelles on les complétait. Quelques-unes de celles-ci semblent être venues jusqu'à nous. Ainsi la formule du Scorpion, incompréhensible dans la plupart des manuscrits, se trouve interprétée dans une addition inscrite sur la première feuille de garde du manuscrit de Saint-Marc.

On sait que l'usage des mystères religieux et des initiations était universel dans l'antiquité. Les alchimistes prêtaient serment de ne pas divulguer la science qui leur était révélée. Un serment de ce genre, sans trace chrétienne, et tout rempli de noms et de mythes gréco-égyptiens : Hermès et Anubis, le dragon Kerkoros, le rocher de l'Achéron, les trois Nécessités, les trois Fouets (Parques et Furies ?) et l'Epée, figure dans la lettre d'Isis à son fils Horus. Un tel langage rappelle tout à fait celui des magiciens néoplatoniciens du IVe siècle.

Le nom de l'art sacré, cultivé dans le temple de Memphis, c'est-à-dire dans le temple de Phtah, voisin du *Sérapeum* retrouvé par Mariette, se rattache à cet ordre d'idées. Le texte de Zosime montre en effet qu'il existait en Égypte une tradition métallurgique secrète, à laquelle les adeptes attribuaient la richesse de l'Égypte d'autrefois et la puissance de ses anciens rois nationaux.

Ces opinions ont laissé leur trace dans l'histoire générale. Elles sont appuyées par un récit des chroniqueurs byzantins, qui semble remonter à Panodorus, moine égyptien et chronographe du temps d'Arcadius ; récit que nous trouvons reproduit dans Jean d'Antioche, auteur du temps d'Héraclius (vers 620), puis dans Georges le Syncelle (VIIIe siècle), ainsi que dans les actes de saint Procope et dans Suidas (XIe siècle). Suivant ces auteurs, Dioclétien, après avoir réprimé avec une extrême cruauté une insurrection des Égyptiens, révolte célèbre dans l'histoire, fit brûler les livres qui traitaient de l'art de faire de l'or et de l'argent, afin d'enlever aux rebelles les richesses qui leur donnaient la confiance de se révolter.

Les destructions opérées par Dioclétien en Égypte sont un fait historique ; il est très probable qu'il fit, conformément à ce récit, brûler systématiquement les livres et les écrits des prêtres égyptiens. En effet, la proscription des écrits magiques et astrologiques, en un mot de tout ouvrage relatif aux sciences occultes, était conforme à la politique connue des empereurs romains. Il existe dans le droit romain une série de lois sur ce point, lois citées plus haut. Or l'alchimie, nous l'avons déjà dit, était une science occulte, congénère de la magie. Ainsi le manuscrit grec 2.419 de la Bibliothèque nationale contient, à côté de très vieux traités astrologiques de Petosiris[5], auteur égyptien déjà connu d'Aristophane, des formules magiques et des œuvres alchimiques. On retrouve pareillement dans les papyrus thébains du IIIe siècle de notre ère, les écrits magiques, astrologiques et alchimiques associés, comme on le voit au musée de Leide.

Non seulement les adeptes identifient leur science, « l'art sacré par excellence » avec les doctrines de l'ancienne Égypte ; mais le nom même de la chimie a été rattaché par plusieurs, par Champollion notamment, à celui de l'Égypte, *Chemi*, mot que les Hébreux ont traduit par terre de Cham. J'ai rapproché plus haut le titre de l'ouvrage fondamental *Chêma*, cité par Zosime, de celui du vieux livre *Chemi*, qui semble aussi rappeler le nom de l'Égypte. Cette étymologie est restée vraisemblable, à côté de celle qui tire le nom de chimie du grec *cheuô*, foudre d'où *chymos*, chyme, et les mots congénères.

C'était une tradition universelle parmi les alchimistes que la science avait été fondée par le dieu égyptien Hermès : d'où la dénomination d'*art hermétique*, usitée jusqu'aux Temps modernes. Le nom même de l'antique roi Chéops, autrement dit Souphis ou Sophé, suivant les dialectes, figure en tête de deux livres de Zosime.

Sans doute, on peut invoquer ici une tendance, bien connue au moyen âge, de la part des inventeurs méconnus ou persécutés : celle de rattacher leur science à des origines illustres et vénérables. Elle existait déjà dans la vieille Égypte, où l'on attribuait aux anciens souverains des ouvrages mystérieusement découverts[6].

La même aventure est arrivée chez les Juifs au temps des rois, lorsque le grand prêtre Helcias tira de l'arche le Deutéronome et le donna sous le nom de Moïse. Ce système était particulièrement en vigueur chez les chrétiens aux IIe et IIIe siècles, et nous lui devons une multitude d'évangiles et d'apocryphes, attribués aux anciens prophètes. Les écrits alchimiques que nous possédons, papyrus ou manuscrits des bibliothèques, remontent à la même époque et portent l'empreinte de la même tendance.

Mais le choix même de ces ancêtres apocryphes n'est pas arbitraire ; il repose d'ordinaire sur quelque tradition réelle, plus ou moins défigurée. Les liens qui pouvaient rattacher les idées des alchimistes aux croyances des anciens peuples d'Orient sont aussi obscurs que ceux qui relient les théories philosophiques, théurgiques et magiques de Jamblique, de Plotin et des autres néoplatoniciens d'Alexandrie, aux doctrines des prêtres de Memphis ; mais ils ne paraissent pas moins réels.

Il est certain, à un autre point de vue, qu'il existait en Égypte tout un ensemble de connaissances pratiques fort anciennes, relatives à l'industrie des métaux, des alliages, des verres et des émaux, ainsi qu'à la fabrication des médicaments ; connaissances qui ont servi de support aux premiers travaux des alchimistes. Ainsi, nos manuscrits nous exposent les procédés pour fabriquer les émeraudes et les hyacinthes, tirés du *Livre du Sanctuaire*. Sans attacher à ces expressions une certitude trop absolue, il n'en est pas moins digne d'intérêt de faire observer leur existence dans les textes. Sur la feuille qui précède, dans le même manuscrit, on lit trois recettes pour la fabrication de l'argent, et la troisième s'en réfère à la première, inscrite plus haut sur la stèle. Cette expression, présentée en passant dans une simple recette, est très caractéristique. Elle rappelle les stèles dont parlent Jamblique, Manéthon l'astrologue, Galien et Olympiodore, et sur lesquelles était inscrite la science égyptienne. Nous possédons même une de ces stèles, dite de Metternich, couverte de formules magiques attribuées à Nectanebo. Le mot est d'ailleurs, je le répète, jeté en passant dans le manuscrit, sans prétention ni charlatanisme.

Les papyrus de Leide, originaires de Thèbes, offrent des recettes toutes semblables à celles de nos alchimistes grecs, et qui semblent empruntées aux mêmes sources ; car les titres sont identiques et les recettes roulent exactement sur le même genre de préparations, — les unes réelles : purification, trempe, soudure des métaux, combinaison des alliages, dorure, argenture, docimasie de l'or et de l'argent, écriture en lettres d'or, teinture en pourpre, fabrication des verres, des pierres précieuses artificielles ; — les autres chimériques : art de doubler le poids de l'or, multiplication de l'or, art de faire l'asemon, c'est-à-dire l'argent, ou plutôt l'électrum alliage d'or et d'argent, dit *asem* en égyptien. On reconnaît dans ces derniers titres la pierre philosophale.

Ces préparations n'étaient pas seulement industrielles et médicales ; elles s'étendaient même aux choses religieuses. Lepsius nous signale les huit minéraux qu'on mêlait pour préparer une substance sacrée à Edfou : or, argent, *chesteb* (pierre bleue), *chenem, nesenem, mafek* (pierre verte), *hertes*. Le *Kyphi*, autre corps sacré dont parle aussi Plutarque[7], est composé avec de nombreuses substances, parmi lesquelles on nomme à Denderâ, l'or, l'argent, le *chesteb*, le *mafek*.

Montrons par quelques exemples comment les alchimistes ont emprunté aux prêtres de l'Égypte les formes énigmatiques et symboliques, ainsi que l'usage des signes hiéroglyphiques de leur art.

Le signe alchimique de l'eau, notamment est identique avec son hiéroglyphe ; celui du soleil l'est également. Le signe d'Hermès est le même que le signe actuel de la planète Mercure dans l'Annuaire des Longitudes ; il a été appliqué tour à tour à l'étain et au métal mercure. On l'assimile d'ordinaire au caducée mais il offre aussi une ressemblance singulière avec l'une des représentations de Toth, représentation ainsi définie dans le Dictionnaire d'Archéologie égyptienne de Pierret (1875) « la tête d'ibis, qui le caractérise ordinairement, est surmontée d'un disque et de deux cornes en croissant ». Toutefois, il faudrait des preuves plus positives, tirées des papyrus ou des monuments, pour pouvoir affirmer cette identification. Le sceau d'Hermès, que les praticiens du moyen âge apposaient sur les vases et qui est devenu le scellement hermétique de nos laboratoires, rappelle encore l'origine égyptienne de la science. Le fait seul que le nom et le signe du dieu Hermès (Mercurius) aient été attribués par les alchimistes au métal qui constituait la matière première du grand œuvre, c'est-à-dire à l'étain d'abord, au mercure plus tard, fournit un rapprochement du même ordre.

Le mot Cnouphion, dérivé du nom du dieu Cnouphis, est donné dans le lexique alchimique grec comme synonyme d'alambic.

Rappelons également que, d'après Stéphanus d'Alexandrie, médecin et alchimiste du VIIe siècle, confirmé sur ce point par le lexique alchimique grec, Osiris est synonyme du plomb et du soufre.

Olympiodore compare la chimie au tombeau d'Osiris, dont les membres sont cachés et dont le visage seul est apparent : ce qui répond bien à l'aspect d'une momie dans sa gaine. Ailleurs le tombeau d'Osiris est assimilé au mercure, l'un des agents fondamentaux du grand œuvre. Cette intervention du tombeau d'Osiris est d'autant plus frappante, que le même tombeau figure dans la plupart des conjurations magiques données par les documents démotiques, par exemple dans un papyrus à transcriptions grecques de Leide. Les noms d'Isis, d'Osiris, de Typhon, se retrouvent fréquemment dans les écrits des alchimistes grecs ; celui même de Toth y figure, à la vérité mal compris et associé à des imaginations gnostiques. Il est aussi question dans ces écrits des temples de Memphis et d'Alexandrie, du temple d'Isis, du temple de Sérapis à Alexandrie, ainsi que des bibliothèques Ptolémaïques, qui y étaient associées.

La phraséologie des alchimistes les plus anciens est celle de gens résidant en Égypte et ayant sous les yeux les obélisques et les hiérogrammes, qu'ils citent, mais sans en comprendre la signification antique.

Zosime, en particulier, semble contemporain de Porphyre et de Tertullien ; il fait allusion aux mêmes mythes et aux mêmes croyances, ainsi que je l'ai déjà expliqué en exposant les sources mystiques de l'alchimie. Il parle à plusieurs reprises du courant du Nil.

Olympiodore, auteur plus instruit et contemporain de Théodose, rappelle, par ses citations des anciens philosophes grecs, les néoplatoniciens d'Alexandrie, de la fin du IVe siècle.

J'ai également retrouvé, à la fin d'un manuscrit grec alchimique[8], la liste des mois égyptiens, mis en regard des mois romains. Je reproduis cette double liste, en conservant la forme grécisée des noms latins qui figurent au manuscrit :

- Martios, phamenoth ;
- aprilios, pharmouthi ;
- maïos, pachon ;
- junios, panini ;
- julios, épiphi ;
- augustos, mesori ;
- septevrios, thoth ;
- octobrios, phaophi ;
- nœvrios, athyr ;
- decevrios, chiak ;
- januarios, tybi ;
- fevruarios, méchir.

Cette liste est la même que celle qui figure dans le *Dictionnaire d'archéologie égyptienne*, de Pierret. Deux des noms qu'elle contient, *mechir* et *mesori*, sont donnés à plusieurs reprises dans l'un des traités d'Olympiodore. De même, les mois *méchir* et *pharmouthi*, dans un traité d'Agathodémon. Cet ensemble d'indications répond bien à des auteurs écrivant en Égypte et ne s'expliquerait pas autrement.

Essayons de préciser davantage, en entrant dans les doctrines elles-mêmes.

Le nombre quatre joue un rôle fondamental chez les alchimistes, aussi bien que chez les Égyptiens. Ceux-ci distinguaient les quatre bases ou éléments, les quatre zones, les quatre divinités funéraires, qui étaient aussi les génies des quatre points cardinaux et qui répondaient d'ailleurs aux quatre vents, etc. Les Égyptiens, nous dit Sénèque, firent quatre éléments, puis chacun d'eux se doubla en mâle et femelle[9]. Le nombre sacré quatre figure aussi dans le papyrus n° 75 de Leide. Les fragments des Hermétiques conservés par Stobée en font mention. Le prétendu Nilomètre, monument souvent cité par les auteurs du commencement de ce siècle, serait d'après Reuvens, le symbole de Phtah et des quatre éléments.

Les gnostiques Valentin et Marcus font jouer aussi un grand rôle aux tétrades dans leur système, lequel est en partie tiré des idées égyptiennes.

Or Zosime signale de même les quatre choses fondamentales, et la tétrasomie, c'est-à-dire l'ensemble des quatre éléments qui représente la matière des corps. Les quatre teintures sont assimilées par lui aux quatre points cardinaux :

- Le Nord représente la Mélanosis (teinture en noir) ;
- Le Couchant, la Leucosis (teinture en blanc ou argent) ;
- Le Midi, la Iosis (teinture en violet) ;
- L'Orient, la Xanthosis (teinture en jaune ou or).

Dans le manuscrit 2.327, figure la table (organon) d'Hermès Trismégiste, transcrite au fol.293. Cette table renferme les nombres, de 1 à 34, écrits (en grec) suivant un ordre particulier. Un certain calcul, exécuté depuis le lever de l'Étoile du Chien (Sirius) et le mois Epiphi, conduit à un chiffre, lequel reporté dans la table permet de prédire la vie, la mort ou le danger d'un malade. Ces calculs astrologiques et médicaux, ces noms égyptiens caractérisent l'époque et le pays. Les traités de Petosiris, vieil astrologue égyptien, transcrits dans le manuscrit 2.419, renferment des tables et des cercles (sphères) tout à fait analogues (fol. 33 ; fol. 156.) Dans le papyrus de Leide, on trouve aussi une sphère de Démocrite, qui a le même caractère et le même objet.

Je rappellerai encore deux alphabets mystérieux, donnés dans le manuscrit 2249 (fol. 100) avec leurs équivalents grecs, et qui ont reparu, après avoir été effacés, dans le manuscrit de Saint-Marc (fol. 193). M. Révillout, à qui je les ai communiqués, y constate l'existence d'au moins trois caractères démotiques très nets, savoir : le dj traduit par le tau grec, de même que dans les papyrus qui renferment une transcription grecque ; un autre caractère polyphone traduit par le psi grec, et un troisième polyphone, aussi très net, le hoout, traduit par le thêta.

Des alphabets magiques analogues existent dans le manuscrit astro-logico-alchimique 2.419 de la Bibliothèque nationale, et des alphabets pareils se lisent dans les papyrus thébains de Leide.

Les noms mêmes des laboratoires où l'on préparait la pierre métal-lique, c'est-à-dire la pierre philosophale, sont transcrits à la suite d'un traité de Jean l'archiprêtre[10]. Les voici : terre de la Thébaïde, Héracléo-polis, Lycopolis, Aphrodite, Apollinopolis, Éléphantine : ce sont là en effet toutes des villes connues en Égypte et sièges de grands sanc-tuaires. Cette liste semble reproduite du début d'un passage d'Aga-tharchide, relatif aux exploitations métallurgiques de l'Égypte[11] : peut-être que les lieux où l'on extrayait l'or de ses minerais étaient les mêmes que ceux où l'on prétendait le fabriquer. En tout cas, la liste est fort ancienne ; car ces noms n'étaient plus guère connus après la conquête musulmane, et il n'y figure aucun lieu étranger à l'Égypte, tels que ceux que nous retrouvons plus tard dans les listes écrites au VIIe siècle.

Tout ceci nous ramène constamment vers l'Égypte et même vers l'Égypte gnostique et hellénisée d'Alexandrie, telle qu'elle existait à l'é-poque de la domination romaine, aux IIIe et IVe siècles de notre ère.

Cependant dans ces faits, il n'y a, en somme, la preuve d'aucune filiation absolument certaine de doctrines avec la religion égyptienne, sauf peut-être le rôle attribué au nombre quatre. Certes, il ne saurait s'agir ici de doctrines philosophiques au sens moderne, mais de ces théories mystiques et religieuses que nous trouvons en Orient. Or, jusqu'à quel point les notions pratiques de l'industrie égyptienne étaient-elles rattachées à des idées théoriques ? La chose est probable ; toute pratique importante étant accompagnée autrefois de rites reli-gieux. Mais nous ignorerons peut-être toujours leur corrélation effec-tive, à moins qu'un papyrus sorti des nécropoles de l'Égypte ne nous apporte à cet égard des révélations inattendues. Mon savant ami M. Maspéro, qui recueille en ce moment l'héritage scientifique de Mariette et maintient sur le Nil la tradition de la science française, nous fournira sans doute quelque lumière sur ce point, comme sur tant d'autres problèmes soulevés par l'histoire égyptienne.

Au XVIIᵉ siècle, on a beaucoup parlé d'une prétendue table d'Hermès, c'est-à-dire d'un papyrus hiéroglyphique, existant à Turin. Le jésuite Kircher[12] nous apprend que Bernard Canisius est le premier qui ait fait connaître cet ouvrage ancien, et qu'il contient la théorie du grand œuvre. En effet, Kriegmann, en 1657, a cru y trouver l'explication du mercure des philosophes, et Dornœus y a vu la médecine spagyrique universelle. Mais ce sont là de pures rêveries, malgré l'affirmation absolue de Kircher (certissimum est). Les auteurs du XVIIᵉ siècle ignoraient les premiers principes de la lecture des hiéroglyphes.

Des opinions analogues existaient déjà dans l'antiquité. Jamblique signale les antiques stèles d'Hermès, où toute science était transcrite. Manéthon l'astrologue, auteur du même temps, parle aussi des livres sacrés des sanctuaires et des stèles mystérieuses de l'omniscient Hermès[13]. Les premiers alchimistes grecs, Olympiodore par exemple, tiennent le même langage, en appliquant cette tradition à leur science ; ils disent que le secret de l'art sacré est inscrit sur les obélisques en hiérogrammes. Olympiodore donne même des indications d'une extrême précision sur les inscriptions du temple d'Isis (sans doute celui de Philæ, qu'il avait visité d'après son propre récit) et sur celles de la montagne libyque. Était-ce simplement, de la part des alchimistes, le besoin de rattacher leurs idées à ces vieilles écritures, dont ils ne comprenaient plus le sens ? ou bien existait-il réellement dans les temples des stèles contenant les formules de l'art sacré, comme l'affirment Zosime et Olympiodore ? La stèle de Metternich avec ses inscriptions magiques appuierait cette dernière opinion. Nous avons cité aussi une recette de transmutation rapportée formellement à l'une de ces stèles, dans un langage qui ne semble guère laisser place au doute. Cependant jusqu'ici des stèles alchimiques de cette nature n'ont pas été retrouvées. Nous ne sommes donc pas autorisés à faire remonter la filiation authentique de l'alchimie plus haut que les papyrus égyptiens de Leide, des IIᵉ et IIIᵉ siècles.

On peut expliquer ces prétentions par des considérations plus générales. En effet, si les alchimistes se sont rattachés à Hermès, s'ils lui ont dédié le mercure, matière première du grand œuvre, c'est que Hermès, autrement dit Toth, était réputé l'inventeur de tous les arts et de toutes les sciences. Platon en parle déjà dans ses dialogues, tels que *le Philèbe* et *le Phédon*. Diodore de Sicile[14] fait remonter à Hermès l'invention du langage, de l'écriture, du culte des dieux et celle de la musique ; de même la découverte des métaux, celle de l'or, de l'argent, du fer en particulier. Hermès paraît avoir personnifié la science du sacerdoce égyptien. C'était le *Seigneur des divines paroles*, le *Seigneur des écrits sacrés*. (Pierret, *Dictionnaire*.) Le néoplatonicien Jamblique écrivait au IIIe siècle (*De mysteriis Egyptiacis*) : « Cependant, nos ancêtres lui dédiaient les découvertes de leur science, étant convenus de tout attribuer à Hermès. » Tertullien cite également Hermès Trismégiste, le maître de tous ceux qui s'occupent de la nature[15]. D'après Galien (*Adversus ea quæ Juliano in Hippocratis aphorismos*, etc.) : « En Égypte, tout ce qui était découvert dans les arts était soumis à l'approbation générale des savants ; alors, on l'inscrivait sans nom d'auteur sur des colonnes que l'on conservait dans le sanctuaire. De là cette multitude d'ouvrages attribués à Hermès. » M.Pierret, dans son *Dictionnaire*, fait également observer que les phrases attribuées à Hermès Trismégiste semblent souvent une simple traduction de certains hiéroglyphes. Il y a là tout un ensemble de données positives, qui concordent avec le langage de Zosime et d'Olympiodore et qui en attestent la valeur historique.

La science était alors essentiellement impersonnelle, et l'on comprend comment Jamblique assigne à Hermès 20.000 livres, ou même, d'après Manéthon, 36.525. Mais toute cette science, quels qu'en fussent l'objet et le caractère, est aujourd'hui perdue. A l'époque alexandrine, on paraît en avoir fait des résumés, assez analogues à nos encyclopédies, ou mieux encore à celles de la Chine et du Japon. Dans ces résumés, la tradition égyptienne était déjà amalgamée par les traducteurs avec les connaissances des philosophes grecs, ainsi que Jamblique le déclare expressément. Cette œuvre de l'Égypte hellénisée nous est connue surtout par un passage de Clément d'Alexandrie. D'après cet auteur, qui semble avoir eu le recueil sous les yeux, il existait quarante-deux livres d'Hermès. Il les décrit, en racontant comment on les portait en cérémonie dans les processions. Citons tout ce passage, qui est caractéristique :

« C'est le chanteur qui ouvre la marche, portant quelqu'un des attributs de la musique. Il faut, dit-on, qu'il sache par cœur deux des livres d'Hermès : le premier qui contient les hymnes des dieux, le second qui renferme les règles de la vie royale. Après le chanteur, s'avance l'horoscope, qui tient dans sa main l'horloge et la palme, symboles de l'astronomie. Il doit connaître et avoir sans cesse à la bouche les livres d'Hermès qui traitent de cette science. Ces livres sont au nombre de quatre : l'un disserte sur le système des astres qui paraissent fixes ; un autre sur la rencontre et sur la lumière du soleil et de la lune ; les deux derniers sur leur lever. Vient en troisième lieu le scribe sacré, ayant des plumes sur la tête et dans les mains un livre et une règle, sur laquelle se trouvent aussi l'encre et le roseau qui lui sert pour écrire. A son tour, il est tenu de connaître tout ce qui concerne les hiéroglyphes, la cosmo-graphie, la géographie, le cours du soleil, de la lune et des cinq planètes, la chorographie de l'Égypte et la description du Nil ; il doit pouvoir décrire les instruments et les ornements sacrés, ainsi que les lieux qui leur sont destinés, les mesures, et généralement tout ce qui appartient au cérémonial. A la suite des trois personnages dont nous venons de parler, s'avance celui qu'on nomme l'ordonnateur (le maître des cérémonies), qui tient une coudée, comme attribut de la justice, et un calice pour faire des libations. Il doit être instruit de tout ce qui regarde le culte des dieux et le sacrifice. Or, il y a dix choses qui embrassent le culte des dieux et toute la religion égyptienne. Ce sont : les sacrifices, les prémices ou offrandes, les hymnes, les prières, les pompes, les jours de fête, etc. Enfin, pour terminer la marche, vient le prophète, portant l'aiguière, suivi de ceux qui portent les pains envoyés. Car le prophète est, en outre, chargé chez les Égyptiens de la distribution des comestibles. Le prophète, en sa qualité de pontife suprême, doit connaître les dix livres que l'on nomme sacerdotaux. Ces livres traitent des lois, des dieux et de tout ce qui a rapport à la disci-pline sacerdotale ; il y a donc quarante-deux livres d'Hermès extrême-ment nécessaires. Trente-six, qui contiennent toute la philosophie égyptienne, sont soigneusement étudiés par ceux dont nous venons de parler. Quant aux six derniers, qui ont trait à la médecine et traitent de la constitution du corps, des maladies, des instruments, des remèdes, des yeux et enfin des femmes, ils sont l'objet de l'étude assidue de ceux qui portent le manteau, c'est-à-dire des médecins[16]. »

Pour concevoir la scène retracée par Clément d'Alexandrie, il convient de la replacer dans son milieu historique. Reportons-nous par la pensée à ces colossaux sanctuaires d'Esneh, d'Edfou et de Denderâ, où je vois encore figurer sur les murs le long déroulement des proces-sions sacerdotales ; reportons-nous à ces temples de Sérapis, où la culture grecque s'alliait avec la tradition égyptienne. Tel était le temple d'Alexandrie, qui s'élevait sur une colline et dominait la ville, avec ses portiques et les bâtiments qui l'entouraient. C'était en même temps le siège du Muséum antique, de l'École d'Alexandrie, avec ses cours, ses professeurs et ses élèves. Là se trouvait la fameuse bibliothèque Ptolé-maïque, brûlée une première fois par César, rétablie par Marc-Antoine aux dépens de celle de Pergame, citée comme autorité par Tertullien et par Zosime, et qui paraît avoir duré, dans son ensemble, à travers des aventures diverses, jusqu'à la fin du IVe siècle. Quelques débris semblent même s'en être conservés jusqu'à la conquête musulmane. Cette association de la science et de la religion s'est perpétuée en Orient ; la mosquée d'El-Azhar, la grande Université musulmane du Caire, avec ses professeurs fanatiques et ses milliers d'étudiants, nous présente aujourd'hui un spectacle analogue.

Le Sérapéum de Memphis n'était pas moins remarquable, au point de vue de la fusion de la culture grecque et de la culture orientale. D'après les découvertes de Mariette qui en a retrouvé l'emplacement, il est précédé d'une avenue de 600 sphinx que terminait un hémicycle, formé des statues grecques de Pindare, Lycurgue, Solon, Euripide, Pythagore, Platon, Eschyle, Homère, Aristote, avec leurs noms écrits en grec. Ce dernier sanctuaire était surtout médical : la parenté étroite qui a toujours existé entre la préparation des médicaments et les études chimiques, nous explique pourquoi les alchimistes le regardaient comme leur plus vieux laboratoire. C'est dans le Sérapéum de Memphis que l'on a peut-être le plus de chances de découvrir un jour quelques indices des pratiques chimiques des Égyptiens, quelques fragments de ces fourneaux que Zosime décrit, d'après ce qu'il a vu lui même dans le temple de Memphis, quelques restes des alambics et des creusets employés pour teindre les pierres précieuses «d'après le livre du sanctuaire», comme parle l'un des manuscrits[17] ; en un mot, les débris de ces antiques laboratoires.

Cependant, si nous nous bornons au texte de Clément d'Alexandrie, il ne semble pas que l'Encyclopédie hermétique contînt sur les arts industriels, ou sur l'étude des métaux proprement dits, rien qui justifiât l'assertion des alchimistes faisant de leur étude l'art hermétique par excellence. Mais sans doute il y avait, indépendamment des traités cités par Clément d'Alexandrie, d'autres livres occultes, dont certains fragments nous ont été conservés par les papyrus de Leide et par nos manuscrits.

En fait, et en dehors des opuscules alchimiques, les seuls ouvrages venus jusqu'à nous sous le nom d'Hermès sont des écrits grecs, philosophiques et mystiques, se rattachant à la dernière époque de la philosophie hellénique. Le *Pœmander*, l'*Asclepios*, renferment un mélange d'idées empruntées au *Timée* de Platon et d'imaginations mystiques et gnostiques. Une traduction complète de ces écrits a été publiée, il y a quelques années, par M. Louis Ménard. Tous ces ouvrages sont fort curieux pour l'histoire des croyances de l'époque ; ils sont cités par les docteurs chrétiens, à côté des prétendus oracles sibyllins ; mais ils sont également apocryphes. Ils ne renferment que des traces incertaines des dogmes religieux de l'ancienne Égypte. Néanmoins les Égyptologues font remarquer la concordance de quelques phrases de ces écrits avec celles des hiéroglyphes. Il semble qu'il y ait là quelques débris plus ou moins défigurés de la vieille littérature égyptienne. C'était l'opinion de Champollion.

Cette remarque s'applique également aux écrits alchimiques. En effet, plusieurs formules mystiques, la forme apocalyptique du langage, l'intervention d'Isis s'entretenant avec son fils Horus, celle de l'Agathodémon attestent une certaine parenté entre les écrits pseudo-hermétiques et les traités de quelques-uns de nos manuscrits alchimiques, lesquels emploient précisément les mêmes noms et les mêmes formules. En tout cas, ils sont du même temps. Les spéculations de Zosime et son langage mystique et allégorique rappellent quelquefois, presque dans les mêmes termes, celles du *Pœmander* sur la composition des âmes, spéculations congénères également de celles du *Timée* de Platon. Le rapprochement était si évident que les alchimistes du moyen âge associent nominativement l'apocryphe table d'émeraude d'Hermès aux écrits de l'auteur du *Pœmander*[18], et à son hymne mystique d'Hermès. On sait que ce dernier était récité par les adeptes, au début de leurs opérations : « Univers, sois attentif à ma prière ; terre, ouvre-toi ; que la masse des eaux s'ouvre à moi, etc. »

§ 2. — SOURCES BABYLONIENNES ET CHALDÉENNES

Les théories alchimiques ne viennent pas seulement d'Égypte ; elles peuvent réclamer aussi, pour une part, quelque origine babylonienne. C'est par là qu'elles achèvent de se rattacher au système des sciences occultes sorties d'Orient : magie, astrologie, alchimie, médecine, doctrine des métaux, des pierres précieuses et des sucs des plantes, lesquelles ont formé un corps commun dans l'antiquité et pendant tout le moyen âge ; conformément aux vieilles analogies que j'ai signalées en parlant du livre d'Enoch.

Les Chaldéens, c'est-à-dire les maîtres des sciences occultes, jouent un rôle important à Rome, dans l'histoire des premiers siècles de notre ère. Tacite en parle fréquemment ; toujours comme de personnages suspects, associés aux mages, promoteurs d'espérances coupables[19]. Il nous cite même un Pammenès, réputé dans l'art des Chaldéens et exilé pour ce motif. Nous retrouverons le même nom parmi les alchimistes. Ces Chaldéens venaient de la Syrie et de la Mésopotamie : c'étaient les représentants des religions orientales et des doctrines secrètes, cultivées dans les temples. En effet, les cultes de la Syrie et de l'Asie Mineure étaient imprégnés de mythes babyloniens : dans les grandes villes de l'Euphrate, telles que Ctésiphon, héritière de Séleucie et de Babylone, il s'était formé une culture gréco-persane, culture dont nous rencontrons aussi le témoignage dans les alchimistes. Attachons-nous spécialement à cette filiation, au double point de vue mystique et pratique.

Démocrite est donné par les alchimistes égyptiens comme leur premier patron, patron apocryphe, bien entendu ; or, le maître en magie de ce Démocrite était, d'après Pline, aussi bien que d'après les alchimistes, le Mède Ostanès. Ce n'est pas tout. Le pseudo-Démocrite compare les pratiques des adeptes Persans à celles des Égyptiens, dans sa lettre à Leucippe[20], ainsi que dans le commentaire de Synesius. Zosime invoque également les livres des prophètes persans. Le pseudo-Zoroastre dont parle Porphyre se retrouve dans Zosime. C'est aussi un apocryphe, contemporain des alchimistes, et se couvrant du nom du vieux prophète Iranien. Il circulait sous son nom des traités de médecine et d'astrologie, dont les Geoponica nous ont conservé des fragments. Ailleurs Olympiodore cite le livre des Kyranides, ou livre des prescriptions divines, lequel nous reporte encore vers la Perse et vers la fin du IIIe siècle. Il existe réellement un livre de ce titre[21], qui nous est parvenu et qui a été imprimé par Fabricius[22]. Il y est question des 24 gemmes et des 24 herbes, ainsi que de leurs vertus magiques et médicales. Tout cet exposé est conforme aux pratiques des mages et à des traditions qui se sont conservées jusqu'à nos jours en Orient, sur la puissance secrète des pierres et des herbes. Galien cite aussi ce livre des Kyranides, comme le font les premiers alchimistes ; le Syncelle en parle pareillement. Disons enfin que les chroniqueurs byzantins attribuent à Dioclétien la destruction des traités persans d'alchimie, aussi bien que celle des traités égyptiens : ce qui est conforme à la fois et à la pratique des Romains et à l'extension que je signale dans la culture des sciences occultes.

Au point de vue pratique, il existait en Babylonie comme en Égypte tout un ensemble de procédés industriels très perfectionnés, relatifs à la fabrication des verres et des métaux, à la teinture des étoffes, à la trempe du fer (aciers de Damas et de l'Inde). L'existence de ces procé-

dés est rendue manifeste par l'examen des débris de l'art assyrien ;
mais nous ne possédons guère de renseignements précis sur leur fabrication. Ces connaissances étaient communes d'ailleurs aux Phéniciens
et aux populations syriennes, intermédiaires entre l'Égypte et la Babylonie. Elles se sont conservées par voie traditionnelle jusqu'aux Arabes
et aux Persans modernes, dont l'art a tiré de ces sources spéciales, au
moyen âge du moins, sa principale originalité. En tout cas, elles n'é-
taient pas étrangères aux alchimistes, et elles expliquent pourquoi ils
invoquent les prophètes Persans à côté des prophètes Égyptiens.

Précisons quelques-unes des théories venues de la Chaldée.

C'est probablement aux Babyloniens qu'il convient de remonter
pour la parenté mystique si célèbre entre les métaux et les planètes. Je
ne sais si l'on en trouverait une indication plus ancienne que celle de
Pindare exprimant la relation de l'or avec le soleil[23]. Cette relation,
ainsi que l'influence des astres sur la production des métaux, se trouve
exposée de la façon la plus nette dans le commentaire de Proclus sur le
Timée. On y lit en effet : « L'or naturel et l'argent, et chacun des métaux,
comme des autres substances, sont engendrés dans la terre sous l'influence des divinités célestes et de leurs effluves. Le Soleil produit l'or ;
la Lune l'argent ; Saturne, le plomb ; et Mars, le fer[24]. »

Olympiodore, philosophe néoplatonicien du Ve siècle, lequel paraît
distinct de l'alchimiste et moins ancien que lui, donne une énumération plus étendue : il attribue le plomb à Saturne ; l'Électrum (alliage
d'or et d'argent) à Jupiter ; le fer à Mars ; l'or au Soleil ; l'airain ou
cuivre à Vénus ; l'étain à Hermès, l'argent à la Lune. De même dans le
manuscrit de Saint-Marc (fol. 6), on lit à côté des signes correspondants : Soleil, l'or ; Lune, l'argent ; Saturne brillant, le plomb ; Jupiter
éclatant, l'électrum ; Mars enflammé, le fer ; Vénus porte-lumière, le
cuivre ; Mercure resplendissant, l'étain.

Il y a ici quelques attributions différentes des nôtres, mais
conformes à celles des vieux alchimistes. Ainsi l'Électrum, alliage d'or
et d'argent, figure aussi dans Zosime comme associé à Jupiter. On le
trouve également dans l'une des listes des signes alchimiques, comme
je viens de le rappeler. C'était en effet un métal particulier pour les
Égyptiens ; mais plus tard il disparut de la liste des métaux et son nom
passa même, par une transition singulière, tirée sans doute de l'analogie des colorations, à celui d'un alliage d'étain couleur d'or, le laiton.
En même temps le signe de Jupiter, devenu disponible, fut appliqué à
l'étain.

Le signe actuel d'Hermès et de la planète correspondante figurent sur les pierres gravées et amulettes gnostiques des collections de la Bibliothèque Nationale de Paris. Ce signe et cette planète étaient attribués d'abord à l'étain ; lorsque ce métal changea de signe et de planète, son symbole et sa planète furent assignés au mercure, c'est-à-dire au corps qui jouait le rôle fondamental dans la transmutation des métaux. Ces changements de notation ont eu lieu entre le Ve et le XIIe siècle. Ils rappellent ceux que l'histoire de la chimie a si souvent présentés. Ils se traduisent dans les listes successives qui ont formé les lexiques alchimiques placés en tête des manuscrits, comme je le montrerai plus loin.

Quoi qu'il en soit, les vieux auteurs s'en réfèrent perpétuellement au parallélisme mystique entre les sept planètes et les sept métaux, auxquels Stéphanus d'Alexandrie associe les sept couleurs et les sept transformations. Ainsi dans le symbolisme des vieux alchimistes, le même signe représente le métal et la planète correspondante. Le signe astronomique du soleil, tel qu'il figurait dans les hiéroglyphes égyptiens, et tel qu'il se retrouve aujourd'hui dans l'*Annuaire du Bureau des longitudes*, est pris pour l'or ; le signe de la lune pour l'argent ; et ce double sens des signes sidéraux se rencontre déjà dans les papyrus de Leide.

Toutes ces notions, à la fois astrologiques et chimiques, sont au moins de l'époque alexandrine ; si elles ne remontent beaucoup plus haut. Elles expliquent le côté mystique des alchimistes.

L'œuf philosophique joue un rôle capital dans l'alchimie et il apparaît, dès son origine, comme point de départ de ses emblèmes et de sa notation. C'était à la fois le signe de l'œuvre sacré et de la création de l'Univers. Toutes ses parties ont une signification emblématique, dont l'énumération semble être la première forme des lexiques alchimiques. Or c'est là un symbole à la fois égyptien et chaldéen. D'après la mythologie égyptienne : le démiurge Khnoum, autrement dit Cnouphis, voulant réaliser la création, fit sortir de sa bouche un œuf, c'est-à-dire l'univers. Dans nos musées, nous le voyons façonnant sur une roue à potier l'œuf mystérieux, d'où la légende tirait le genre humain et la nature entière. Cette imagination de l'œuf du monde est aussi babylonienne.

Dans un ordre analogue d'assimilations mystiques et astrologiques, originaires aussi de Babylone, et sur lesquelles les alchimistes reviennent souvent, l'univers ou macrocosme a pour image l'homme ou microcosme. Toutes ses parties fondamentales s'y retrouvent, y compris les signes du zodiaque.

A ces conceptions astrologiques venaient s'en associer d'autres, empruntées à la germination et à la génération, et qui nous rappellent quelle importance les phénomènes agricoles avaient en Mésopotamie et en Égypte : « L'or engendre l'or, comme le blé produit le blé, comme l'homme produit l'homme », répètent sans cesse les adeptes. Ces idées, qui ont été en vigueur parmi les alchimistes durant le moyen âge, existent déjà chez nos auteurs grecs. On voit comment elles tirent leur origine de l'Égypte et de Babylone.

Le vague des espérances illimitées qu'excitaient les études alchimiques ne s'étendait pas seulement à l'art de faire de l'or, mais aussi à l'art de guérir les maladies. Ce dernier art est invoqué par Ostanès le philosophe, l'un des plus vieux pseudonymes, appelé aussi le mage, c'est-à-dire le Chaldéen, et dont le nom est cité par Pline. Or, dans le livre alchimique qui porte son nom, l'eau divine guérit toutes les maladies. De là la conception de la panacée, de l'élixir de longue vie, du remède universel chez les Arabes, héritiers de la culture chaldéenne et persane.

La tradition alchimique s'étend au delà de l'Égypte et de la Chaldée. De tout temps les connaissances pratiques, dans l'ordre des sciences réelles, comme dans l'ordre des sciences occultes, se sont propagées au loin dans le monde avec une singulière rapidité, et nous en reconnaissons souvent, non sans surprise, la trace dans les monuments contemporains des diverses civilisations. C'est ainsi que l'alchimie apparaît en Chine, au IIIe siècle, à l'époque même où elle florissait en Égypte et chez les Alexandrins. Voici les renseignements que le savant M. d'Hervey de Saint-Denis, professeur au Collège de France, a bien voulu me fournir à cet égard. On trouve dans la grande encyclopédie Peï-ouen-yun-fou, qui jouit en Chine d'une réelle autorité, cette mention très nette : « Le premier qui purifia le Tan (expression technique consacrée pour dire, chercher la transmutation des métaux) fut un nommé Ko-hong, qui vécut au temps de la dynastie des Ou. » La dynastie des Ou a régné de l'an 222 l'an 277 de notre ère. C'est donc au milieu du IIIe siècle que les Chinois auraient commencé à s'occuper d'alchimie. L'initiative, d'après le dictionnaire yun-fou-kinn-yu, en appartiendrait aux moines de la secte du Tao, sectateurs du philosophe Lao-tse, lesquels pratiquèrent aussi la magie. Les alchimistes chinois s'attachaient également à transmuter l'étain en argent et l'argent en or ; ils plaçaient toujours dans leurs creusets, avec la pierre de tan, une certaine quantité du métal cherché, envisagée comme substance mère. Or ce sont là les pratiques usitées chez les Greco-Égyptiens ; c'est aussi la même association de la magie avec l'alchimie.

§ 3. — SOURCES JUIVES

Le rôle attribué aux Juifs pour la propagation des idées alchimiques, rappelle celui qu'ils ont joué à Alexandrie, lors du contact entre la culture grecque et la culture égyptienne et chaldéenne. On sait que les Juifs ont une importance de premier ordre dans cette fusion des doctrines religieuses et scientifiques de l'Orient et de la Grèce, qui a présidé à la naissance du christianisme. Les Juifs alexandrins ont été un moment à la tête de la science et de la philosophie.

La Cabbale, œuvre chaldéo-rabbinique, a été liée pendant le moyen âge avec l'alchimie. On rencontre dans le manuscrit alchimique de Saint-Marc, qui date du XIe siècle, un dessin cabalistique, le labyrinthe de Salomon [25]. Cette liaison entre les traditions juives et l'alchimie remonte très haut ; on la reconnaît aussi bien dans les papyrus de Leide que dans les manuscrits grecs alchimiques.

Ainsi dans le papyrus n° 75 de Reuvens, figure une recette alchimique, attribuée à Osée roi d'Israël. Dans d'autres papyrus de la même famille, on lit les noms d'Abraham, Isaac, Jacob, le mot Sabaoth et plusieurs autres passages se rapportant aux Juifs.

Le papyrus n° 76 renferme un ouvrage magique et astrologique, intitulé : le Saint livre, appelé la huitième Monade de Moyse, la clef de Moyse, le livre secret de Moyse. Les noms et les souvenirs juifs sont donc mêlés aux sciences occultes, à l'époque des premiers écrits alchimiques, c'est-à-dire vers le IIIe siècle de notre ère.

Ce mélange est attesté également par les manuscrits des Bibliothèques. En effet dans le manuscrit 2.325, fol. 163, vo, et dans le manuscrit 2.327, fol. 146, nous trouvons citée La chimie de Moyse. La recette de Moyse pour doubler le poids de l'or (diplosis) par transmutation, apparaît dans le vieux manuscrit de Saint-Marc et dans la plupart des autres.

Le livre de la Vérité de Sophé l'Égyptien, œuvre attribuée à Zosime, est consacré au Seigneur des Hébreux et des puissances Sabaoth.

Dans le manuscrit 2.249, sur la page où sont figurés divers appareils, il y a une addition d'une autre écriture, avec la note : de Salomon, de Juda le Juif. Zosime s'en réfère aussi aux écrits judaïques pour la description de certains appareils : quelques-uns d'entre eux remonteraient même à Noë, d'après un autre passage. Ceci rappelle les emprunts faits au livre juif d'Hénoch. Ailleurs il nous est dit qu'il y a deux sciences, celle des Égyptiens et celle des Hébreux, qui est plus solide.

Il y a plus : il existe un traité, ou plutôt une série d'extraits tirés d'un même traité, qui semblent répondre précisément à cette chimie domestique de Moïse citée plus haut. En effet, ces extraits débutent par une phrase tirée de l'Exode[26], sauf quelques variantes. « Et le Seigneur dit à Moïse : J'ai choisi Beseleel, prêtre de la tribu de Juda, pour travailler l'or, l'argent, le cuivre, le fer et tout ce qui regarde les pierres et les travaux du bois, et pour être le maître de tous les arts. » Puis viennent une série de recettes purement pratiques, placées sous le patronage de Moïse et de Beseleel. On sait que ce dernier est donné dans l'Exode comme l'un des constructeurs de l'Arche et du Tabernacle. Il y a dans tout ceci une attache rabbinique, et comme un premier indice des sources et des doctrines secrètes de la franc-maçonnerie au moyen âge.

Zosime parle également de Salomon, roi de Jérusalem, et de sa sagesse, ainsi que de la traduction de la Bible, de l'hébreu en grec et en égyptien, traduction qu'il attribue à un interprète unique. Ce dernier renseignement est fort ancien ; car il diffère de celui qui avait cours au IVe siècle sur cette traduction, d'après le pseudo Aristée, et qui s'est maintenu dans les mots «version des Septante»; je veux dire le conte des soixante-dix vieillards, choisis comme interprètes des Écritures saintes.

L'art sacré des Égyptiens et la puissance de l'or qui en résulte, écrit encore Zosime, n'ont été révélés qu'aux Juifs, par fraude, et ceux-ci l'ont fait connaître au reste du monde.

« Ne touche pas la pierre philosophale de tes mains ; tu n'es pas de notre race, tu n'es pas de la race d'Abraham », dit Marie la Juive, l'un des auteurs fondamentaux de l'alchimie plusieurs traités lui sont attribués, ainsi que l'invention du bain-marie.

Nous rencontrons ici ce mélange de fables hébraïques et orientales, qui caractérise les trois premiers siècles de notre ère. Il se manifeste plus clairement encore dans les origines gnostiques de l'alchimie, dont nous parlerons bientôt. Observons d'ailleurs que le rôle favorable attribué aux Juifs est en opposition avec les préjugés de certaines sectes gnostiques. Mais par contre, il s'accorde avec ce fait que le prophète gnostique Marcus était né en Palestine. En tout cas, un tel mélange nous reporte vers le second siècle de notre ère, au temps où l'autorité des livres des Juifs était invoquée et opposée à celle des auteurs helléniques, et où les chrétiens ne méprisaient pas encore les Juifs ; comme ils ne manquèrent pas de le faire, dès que leur religion fut devenue celle des empereurs.

§ 4. — SOURCES GNOSTIQUES

L'étude des papyrus et des manuscrits conduit à préciser davantage l'époque et le point de contact entre l'alchimie et les vieilles croyances de l'Égypte et de la Chaldée. En effet, ce contact coïncide avec le contact même de ces croyances et de celles des chrétiens au IIe et au IIIe siècle. Les premiers alchimistes étaient gnostiques. D'après Reuvens[27], le papyrus n° 75 de Leide renferme un mélange de recettes magiques, alchimiques, et d'idées gnostiques ; ces dernières empruntées aux doctrines de Marcus.

Les auteurs de nos traités, Zosime, Synésius, Olympiodore, sont aussi tout remplis de noms et d'idées gnostiques. « Livre de vérité de Sophé l'Égyptien : c'est ici l'œuvre divine du Seigneur des Hébreux et des puissances Sabaoth. » Ce titre déjà cité reparaît deux fois : une fois seul, une autre fois suivi des mots : « Livre mystique de Zosime Le Thébain. » On reconnaît l'analogue de l'Évangile de la vérité et de la Pistis Sophia de Valentin, ainsi que la parenté de l'auteur avec les Juifs et avec les gnostiques. En effet les mots « Seigneur des Hébreux et Sabaoth » sont caractéristiques. Quant au nom de Sophé l'Égyptien, c'est une forme équivalente à celui de Souphis, c'est-à-dire du Chéops des Grecs. Le livre qui lui est ici attribué rappelle un passage d'Africanus, auteur du IIIe siècle de notre ère, qui a fait un abrégé de l'historien Manéthon, abrégé compilé plus tard par Eusèbe. « Le roi Souphis, dit Africanus, a écrit un livre sacré, que j'ai acheté en Égypte, comme une chose très précieuse. » On vendait donc alors sous le nom du vieux roi des livres apocryphes, dont les auteurs réels étaient parfois nommés à la suite, comme dans le titre de notre ouvrage de Zosime. Le serpent ou dragon qui se mord la queue (ouroboros) est plus significatif encore : c'est le symbole de l'œuvre, qui n'a ni commencement ni fin. Dans les papyrus de Leide, il est question d'un anneau magique, sur lequel ce serpent est tracé. Il est aussi figuré deux fois dans le manuscrit 2.327, en tête d'articles sans nom d'auteur, dessiné et colorié avec le plus grand soin, en deux et trois cercles concentriques, de couleurs différentes, et associé aux formules consacrées : « La nature se plaît dans la nature, etc. » Il est pourvu de trois oreilles, qui figurent les trois vapeurs, et de quatre pieds, qui représentent les quatre corps ou métaux fondamentaux : plomb, cuivre, étain, fer. Les derniers détails rappellent singulièrement la salamandre, animal mystérieux qui vit dans le feu, lequel apparaît déjà à Babylone[28] et en Égypte, et dont Aristote[29], Pline, Sénèque et les auteurs du siècle suivant rappellent souvent les propriétés mystérieuses. Il en est aussi question dans les papyrus de Leide et parmi les pierres gravées gnostiques de la collection de la Bibliothèque nationale : elle jouait un certain rôle dans les formules magiques et médicales de ce temps. A la suite de la figure du serpent, on lit dans le manuscrit 2.327 un exposé allégorique de l'œuvre : « Le dragon est le gardien du temple. Sacrifie-le, écorche-le, sépare la chair des os et tu trouveras ce que tu cherches. » Puis, viennent successivement l'homme d'airain, qui change de couleur et se transforme dans l'homme d'argent ; ce dernier devient à son tour l'homme d'or. Zosime a reproduit tout cet exposé avec plus de développement. Les mêmes allégories se retrouvent ailleurs dans un texte anonyme, sous une forme qui semble plus ancienne : l'homme d'airain est plongé dans la source sacrée, il change non seulement de couleur (crwma), mais de corps (swma), c'est-à-dire de nature métallique, et il devient l'homme d'Asemon, puis l'homme d'or. L'argent est ici remplacé par l'asemon, c'est-à-dire par l'Électrum, alliage d'or et d'argent, qui figurait au nombre des vieux métaux égyptiens.

Remarquons encore ces allégories, où les métaux sont représentés comme des personnes, des hommes : c'est là probablement l'origine de l'*homunculus* du moyen âge ; la notion de la puissance créatrice des métaux et de celle de la vie s'étant confondues dans un même symbole.

Un autre traité de Zosime renferme une figure énigmatique, formée de trois cercles concentriques, qui semblent les mêmes que ceux du serpent, et entre lesquels on lit ces paroles cabalistiques : « Un est le tout, par lui le tout, et pour lui le tout, et dans lui le tout. Le serpent est un ; il a les deux symboles (le bien et le mal) et son poison (ou bien sa flèche), etc. » Un peu plus loin vient la figure du scorpion et une suite de signes magiques et astrologiques. Ces axiomes reparaissent, mais sans la figure, écrits à l'encre rouge au folio 88 du n°2327 : probablement la figure existait ici dans le texte primitif ; mais le copiste ne l'aura pas reproduite.

Dans le manuscrit de saint Marc, fol.188, vo, et dans le manuscrit 2249, fol.96, sous le nom de Chrysopée de Cléopâtre, le même dessin se voit, plus compliqué et plus expressif. En effet, non seulement les trois cercles sont tracés, avec les mêmes axiomes mystiques ; mais le centre est rempli par les trois signes de l'or, de l'argent et du mercure. Sur le côté droit s'étend un prolongement en forme de queue, aboutissant à une suite de signes magiques, qui se développent tout autour. Le système des trois cercles répond ici aux trois couleurs concentriques du serpent citées plus haut. Au dessous, on voit l'image même du serpent Ouroboros, avec l'axiome central : «Un le tout.» Le serpent, aussi bien que le système des cercles concentriques, est au fond l'emblème des mêmes idées que de l'œuf philosophique, symbole de l'univers et symbole de l'alchimie.

Ce sont là des signes et des imaginations gnostiques, ainsi que le montre l'anneau magique décrit dans le papyrus de Leide et comme on peut le voir dans l'Histoire des origines du christianisme de M.Renan[30]. Le serpent qui se mord la queue se présente continuellement associé à des images d'astres et à des formules magiques sur les pierres gravées de l'époque gnostique. On peut s'en assurer dans le Catalogue imprimé des camées et pierres gravées de la Bibliothèque nationale de Paris, par Chabouillet. Les numéros 2176, 2177, 2180, 2194, 2196, 2201, 2202, 2203, 2204, 2205, 2206, etc., portent la figure de l'Ouroboros, avec toutes sortes de signes cabalistiques. De même la salamandre, no2193. Au no2203 on voit Hermès, Sérapis, les sept voyelles figurant les sept planètes, le tout entouré par le serpent qui se mord la queue. Au n° 2240, le signe des planètes avec celui de Mercure, qui est le même qu'aujourd'hui. C'étaient là des amulettes et des talismans, que l'on suspendait au cou des malades, d'après Sextus Empiricus médecin du IVe siècle, et que l'on faisait servir à toutes sortes d'usages. Ces symboles sont à la fois congénères et contemporains de ceux des alchimistes.

Le serpent qui se mord la queue était adoré à Hiérapolis en Phrygie, par les Naasséniens, secte gnostique à peine chrétienne. Les Ophites, branche importante du gnosticisme, comprenaient plusieurs sectes qui se rencontraient en un point, l'adoration du serpent, envisagé comme le symbole d'une puissance supérieure ; comme le signe de la matière humide, sans laquelle rien ne peut exister ; comme l'âme du monde qui enveloppe tout et donne naissance à tout ce qui est, le ciel étoilé qui entoure les astres ; le symbole de la beauté et de l'harmonie de l'univers. Le serpent Ouroboros symbolisait donc les mêmes choses que l'œuf philosophique des alchimistes. Le serpent était à la fois bon et mauvais. Ce dernier répond au serpent égyptien Apophis, symbole des ténèbres et de leur lutte contre le soleil.

L'Ophiouchos, qui est à la fois un homme et une constellation, joue un rôle essentiel dans la mythologie des Pérates, autres Ophites ; il prend la défense de l'homme contre le méchant serpent. Nous le retrouvons dans Olympiodore.

Ailleurs, nous rencontrons la langue spéciale des gnostiques : « La terre est vierge et sanglante, ignée et charnelle, » nous disent les mêmes auteurs. Les gnostiques, ainsi que les premiers alchimistes et les néoplatoniciens d'Alexandrie, unissaient la magie à leurs pratiques religieuses. On s'explique par là la présence de l'étoile à huit rayons, signe du soleil en Assyrie, parmi les symboles qui entourent la *Chryso-pée de Cléopâtre*, aussi bien que dans les écrits valentiniens. Elle semble rappeler l'ogdoade mystique des gnostiques et les huit dieux élémen-taires égyptiens, assemblés par couples mâles et femelles, dont parle Sénèque[31]. J'ai montré ailleurs que le nombre quatre joue un rôle fondamental dans Zosime, aussi bien que chez les Égyptiens et chez le gnostique Marcus.

Le rôle de l'élément mâle, assimilé au levant, et de l'élément femelle, comparé au couchant ; l'œuvre accomplie (plhroumenon) par leur union ; l'importance de l'élément hermaphrodite (la déesse Neith des Égyptiens) cité par Zosime, et qui reparaît jusque dans les écrits du moyen âge ; l'intervention des femmes alchimistes, Théosébie, Marie la juive, Cléopâtre la savante, qui rappellent les prophétesses gnostiques, sont aussi des traits communs aux gnostiques et aux alchimistes.

Les traditions juives jouaient un rôle important chez les gnostiques marcosiens. Ceci est encore conforme à l'intervention des Juifs dans les écrits alchimiques et dans les papyrus de Leide.

Zosime, et Olympiodore reproduisent les spéculations des gnos-tiques sur l'Adam, l'homme universel identifié avec le Toth égyptien : les quatre lettres de son nom représentent les quatre éléments. Eve s'y trouve assimilée à Pandore. Prométhée et Épiméthée sont cités et regar-dés comme exprimant en langage allégorique l'âme et le corps.

Nous trouvons pareillement dans les *Geoponica* une recette attribuée à Démocrite et où figure le nom d'Adam, destiné à écarter les serpents d'un pigeonnier. Sous une forme plus grossière, c'est toujours le même ordre de superstitions.

Un tel mélange des mythes grecs, juifs et chrétiens est caractéris-tique. Les Séthiens, secte gnostique, associaient de même les mystères orphiques et les notions bibliques[32]. Nos auteurs alchimiques ne manquent pas davantage de s'appuyer de l'autorité des livres hébraïques ; et cela à la façon des premiers apologistes chrétiens, c'est-à-dire en les joignant à Hermès, à Orphée, à Hésiode, à Aratus, aux philosophes, aux maîtres de la sagesse antique.

Ce langage, ces signes, ces symboles nous replacent au milieu du syncrétisme compréhensif, bien connu dans l'histoire, où les croyances et les cosmogonies de l'Orient se confondaient à la fois entre elles et avec l'hellénisme et le christianisme. Les hymnes gnostiques de Synésius, qui est à la fois un philosophe et un évêque, un savant et un alchimiste, montrent le même assemblage.

Or, le gnosticisme a joué un grand rôle dans tout l'Orient et spécialement à Alexandrie, au IIe siècle de notre ère[33] ; mais son influence générale n'a guère duré au delà du IVe siècle. C'est donc vers cet intervalle de temps que nous sommes ramenés d'une façon de plus en plus pressante par les textes alchimiques. Ceux-ci montrent qu'il existait dès l'origine une affinité secrète entre la Gnose, qui enseigne le sens véritable des théories philosophiques et religieuses, dissimulées sous le voile des symboles et des allégories, et la chimie, qui poursuit la connaissance des propriétés cachées de la nature, et qui les représente, même de nos jours, par des signes à double et triple sens.

---

1. C'est-à-dire l'art de traiter les sables ou minerais métalliques.
2. Fol.138 à 141. Le passage d'Agatharchide dont ce morceau est extrait a été conservé par Photius ; il est imprimé parallèlement avec le texte de Diodore de Sicile, qui l'a compilé, dans les *Geographi græci minores*, t.I, p.122 à 129 (édition Didot). Un autre fragment cité par le manuscrit de Saint-Marc figure aux pages 183 à 186 de la même collection.
3. *Stromates*, V, 7.
4. *Daïmonès*, c'est-à-dire les dieux inférieurs, de même que dans le langage de Jamblique et de ses contemporains ; ce seront plus tard les génies des Arabes.
5. Petosiridis *Mathematici ad regem Nechepso*, fol.82. Pline associe aussi ces deux noms propres.
6. Maspero, *Histoire ancienne des peuples de l'Orient*, p. 74 (1875).
7. *De Iside*, LXXXV.
8. Ms. 2.327, fol. 280.
9. *Questions naturelles*, III, 14.
10. Ms. 2.327, fol. 249, vo.
11. Le manuscrit de Saint-Marc a donné tout ce passage sous le titre : *Des pierres métalliques* (fol. 138).
12. *Alchimia hieroglyphica*, Rome, 1653.
13. Manéthon : *Apotelesmatica*, livre V, p. 93 (1832).
14. Livre I, 16.
15. *Adversus Valentinianos*, XV, A.
16. *Stromates*, liv. VI, 4.
17. Ms. 2.327, fol. 147.
18. Basile Valentin, dans la *Bibliothèque des philosophes chimiques* de Salmon, t. II.
19. *Annales* II, 27.
20. Ms. 2.327, fol. 258.
21. Voir *Salmasii Plinianæ Exercitationes*, p. 69 (1689).
22. *Bibl. Græca*, XII, 755, 1re édition.
23. *Isthméennes*, ode V.
24. Proclus, *Commentaire sur le Timée*, 14, B.

25. Ms. de Saint-Marc, fol. 1o2, vo.
26. Exode, XXXI, 1 à 5 ; XXXV, 3o.
27. 1re Lettre à M. Letronne, p. 8 à 1o.
28. Pline, l. XXIX, ch. iv, section 23.
29. Aristote, *Hist. des animaux*, l. V, ch. xix.
30. T. VIII, p. 183.
31. *Questions naturelles*, III, 14.
32. Renan, VII, 135.
33. Renan, *Histoire des origines du christianisme*, t. VI, p. 139.

CHAPITRE IV – LES TÉMOIGNAGES HISTORIQUES

*J*usqu'ici nous avons exposé l'histoire des origines de l'alchimie, telle qu'elle résulte de l'étude des plus vieux monuments de cette science, papyrus et manuscrits des bibliothèques. Nous avons montré la concordance des renseignements tirés de ces deux sources, entre eux et avec les doctrines et les préjugés des premiers siècles de l'ère chrétienne. Cette concordance atteste que les traités manuscrits ont été composés à la même époque que les papyrus trouvés dans les tombeaux de Thèbes : vérification d'autant plus utile que les copies les plus anciennes que nous possédions de ces traités manuscrits ne remontent pas au delà du XIᵉ siècle.

Non seulement les papyrus et les manuscrits des bibliothèques concordent ; mais les noms des dieux des hommes, des mois, des lieux, les allusions de tout genre, les idées et les théories exposées dans les manuscrits et dans les papyrus correspondent, avec une singulière précision dans les détails, à ce que nous savons de l'Égypte grécisée des premiers siècles de l'ère chrétienne et du mélange étrange de doctrines philosophiques, religieuses, mystiques et magiques, qui caractérise les néoplatoniciens et les gnostiques. Nous établirons dans une autre partie de cet ouvrage une comparaison pareille entre les notions pratiques, consignées dans les papyrus et les manuscrits, et les faits connus aujourd'hui sur les industries égyptiennes relatives à la métallurgie, à la fabrication des verres et à la teinture des étoffes. Nos musées fournissent, à ces égards, les témoignages les plus divers et les plus authentiques.

Tels sont les résultats obtenus par l'étude intrinsèque des textes et des monuments anciens. Il convient de contrôler les résultats de cette étude, en les rapprochant des faits et des indications positives que l'on trouve dans les auteurs et les historiens ordinaires.

Aucun de ceux-ci n'a parlé de l'alchimie avant l'ère chrétienne. La plus ancienne allusion que l'on puisse signaler à cet égard serait une phrase singulière de Dioscoride[1], médecin et botaniste grec : « Quelques-uns rapportent que le mercure est une partie constituante des métaux. » Dioscoride paraît contemporain de l'ère chrétienne ; les manuscrits de cet auteur que nous possédons sont fort beaux, et datés d'une façon précise : les deux principaux ont été transcrits au milieu du Ve siècle.

On cite encore un passage de Pline l'ancien[2], d'après lequel il existe un procédé pour fabriquer l'or au moyen de l'orpiment : Caligula, dit-il, fit calciner une quantité considérable d'orpiment pour en tirer de l'or : il réussit ; mais le rendement fut si minime que la quantité d'or obtenue ne paya pas les frais de l'opération.

> *« Invitaverat spes Caium principem avidissimum auri,*
> *quamobrem jussit excoqui magnum auripigmenti pondus,*
> *et plane fecit aurum excellens, sed ita parvi ponderis, ut*
> *detrimentum sentiret. »*

C'est évidemment la première tentative de transmutation, ou plutôt de préparation artificielle de l'or, que l'histoire nous ait transmise. Le fait en soi, tel que Pline le rapporte, n'a d'ailleurs rien que de vraisemblable : car il semble qu'il se soit agi ici d'une opération analogue à la coupellation, ayant pour but et pour résultat d'extraire l'or contenu dans certains sulfures métalliques, signalés par leur couleur comme pouvant en recéler. Extraction de l'or préexistant, ou fabrication de ce métal de toutes pièces, ce sont là deux idées tout à fait distinctes pour nous ; mais elles se confondaient dans l'esprit des anciens opérateurs.

On rencontre, vers la même époque, un énoncé plus net dans Manilius, auteur d'un poème astrologique d'une langue excellente, et que les critiques s'accordent à regarder comme contemporain de Tibère. Au livre IVe, il développe en beaux vers les effets du feu : « la recherche des métaux cachés et des richesses enfouies, la calcination des veines de minerais, l'art de doubler la matière par un procédé certain, ainsi que les objets d'or et d'argent. »

> *Quidquid in usus.*
> *Ignis agit... Scrutari cæca metalla*
> *Depositas et opes, terræque exurere venas,*
> *Materiamque manu certa duplicarier arte,*
> *Quiquid et argento frabicetur quidquid et auro.*

Scaliger a cru ce passage interpolé, mais surtout à cause de sa signification : ce qui est un cercle vicieux. Il est conforme aux analogies historiques qu'un astrologue, tel que Manilius, ait eu une connaissance plus particulière de l'alchimie. D'ailleurs, l'idée de doubler l'or et l'argent (*diplosis*) était courante dès le IIe et le IIIe siècles de notre ère, comme le montrent les papyrus de Leide, d'accord avec les manuscrits des bibliothèques.

Venons aux personnes et aux industries chimiques.

Les plus vieux auteurs cités par les manuscrits alchimiques, Démocrite, Ostanès, figurent aussi comme magiciens et astrologues dans columelle, dans Pline et dans les écrivains de l'antiquité. Le nom de l'alchimiste Pamménès se retrouve dans Tacite, comme celui d'un magicien. L'astrologue égyptien Pétosiris, dont les traités sont associés à des ouvrages alchimiques dans le manuscrit 2.419 de la Bibliothèque nationale, est cité par Pline, par Juvénal et déjà par Aristophane.

Sénèque rappelle également les connaissances pratiques de Démocrite sur l'art de colorer les verres, art congénère de l'art de colorer les métaux : « Il avait trouvé le moyen d'amollir l'ivoire, de changer le sable en émeraude par la cuisson et son procédé est encore suivi de nos jours. »

> « *Excidit porro vobis eumdem Democritum invenisse*
> *quemadmodum ebur molliretur, quemadmodum decoctus*
> *calculus in smaragdum converteretur, qua hodie que*
> *coctura inventi lapides in hoc utiles colorantur.* »

Sont-ce là des inventions authentiques du vieux philosophe ? Ou n'avons-nous pas affaire à des pseudonymes égyptiens, peut-être même à ceux dont nous possédons les traités ? Je reviendrai sur ce problème. Pline parle pareillement des ouvrages où l'on enseignait l'art de teindre les émeraudes artificielles et autres pierres brillantes[3].

C'étaient là des arts égyptiens par excellence et les recettes de nos manuscrits concordent avec cette indication ; à supposer, je le répète, qu'elles ne reproduisent pas exactement les procédés auxquels Pline faisait allusion.

Nous avons donné plus haut les passages où Tertullien parle, au IIIe siècle, des mystères des métaux et des pierres précieuses, révélés par les anges rebelles, des secrets de l'or et de l'argent, rapprochés de ceux de la magie et de l'astrologie : il s'agit évidemment ici de l'alchimie. On trouve aussi dans le néoplatonicien Jamblique, un passage où la magie semble associée à l'art de composer les pierres précieuses, et de mélanger les produits des plantes. Les manuscrits alchimiques attribuent même à Jamblique deux procédés de transmutation.

Un texte plus explicite est celui des chroniqueurs byzantins, d'après lesquels Dioclétien détruisit en Égypte les livres d'alchimie. Le fait est tout à fait conforme à la pratique du droit romain ; il est attesté par Jean d'Antioche, auteur qui a écrit au temps d'Héraclius (VIIe siècle) et qui semble avoir copié sur ce point le chronographe égyptien Panodorus, contemporain d'Arcadius. Ce texte a été reproduit ensuite par Suidas et par plusieurs autres auteurs. Ces auteurs disent expressément que « Dioclétien fit brûler vers l'an 290, les anciens livres de chimie des Égyptiens relatifs à l'or et à l'argent, afin qu'ils ne pussent s'enrichir par cet art et en tirer la source de richesses qui leur permissent de se révolter contre les romains. »

M. A. Dumont, de l'académie des inscriptions, savant dont nous regrettons la perte récente, m'a signalé un texte tout pareil quant au fond, quoique distinct par les mots, qu'il a rencontré dans les actes de saint Procope. La rédaction actuelle de ces actes semble du Xe siècle ; mais ils sont déjà cités au deuxième concile de Nicée (au commencement du VIIIe siècle) et leur première rédaction remonterait, d'après Baronius, au temps de l'empereur Julien.

En tout cas, le passage précédent est étranger à l'histoire du saint lui-même ; il a été tiré de vieilles chroniques, que les amplificateurs successifs des actes de saint Procope n'avaient pas intérêt à modifier.

Ces textes sont tout à fait conformes au passage de Zosime déjà cité, d'après lequel le royaume d'Égypte était enrichi par l'alchimie. Il semble répondre à la destruction de certains traités, où la métallurgie positive, très cultivée dans la vieille Égypte, était associée à des recettes chimériques de transmutation : traités pareils à ceux qui figurent dans les papyrus de Leide et dans nos manuscrits. La concordance de tous ces faits, tirés de sources diverses, est frappante.

L'Alchimie était désignée à l'origine sous le nom de science sacrée, art divin et sacré, désignations qui lui étaient communes avec la magie. Le nom même de l'alchimie figure pour la première fois dans un traité astrologique de Julius Firmicus, écrivain du IVᵉ siècle de notre ère, dont la conformité générale avec Manilius est bien connue : « Si c'est la maison de Mercure, elle donne l'astronomie ; celle de Vénus annonce les chants et la joie ; celle de Mars, les armes... celle de Jupiter, le culte divin et la science des lois ; celle de Saturne, la science de l'alchimie. »

L'adjonction de la préfixe *Al* est suspecte et due sans doute à un copiste ; mais l'existence du nom même de la chimie dans Firmicus n'a pas été révoquée en doute. Le patronage de Saturne rappelle à la fois le plomb, qui lui est dédié, et Osiris, synonyme du plomb, et dont le tombeau était l'emblème de la chimie, d'après Olympiodore. Julius Firmicus reproduit ailleurs l'un des axiomes favoris du pseudo-Démocrite et de ses commentateurs : « La nature est vaincue par la nature. » Julius Firmicus nous reporte au temps de Zosime, ou plutôt de ses premiers successeurs.

Un texte très explicite se lit dans le *Théophraste* d'Enée de Gaza, dialogue relatif à la résurrection des morts, et qui constitue avec Pline et Manilius, en dehors des papyrus et des manuscrits alchimiques bien entendu, le plus ancien document précis, de date certaine, où il soit question de la transmutation des métaux. Enée de Gaza était un philosophe néoplatonicien du Vᵉ siècle, élève d'Hiéroclès, et qui se convertit plus tard au christianisme. Après avoir exposé que le corps humain, formé par l'assemblage des quatre éléments (terre, eau, air, feu), les reproduit par sa décomposition, il reprend[4] la thèse platonicienne des idées, d'après laquelle : « La forme subsiste, tandis que la matière éprouve les changements, parce que celle-ci est faite pour prendre toutes les qualités. Soit une statue d'Achille en airain ; supposons la détruite, et ses débris réduits en petits morceaux ; si maintenant un artisan recueille cet airain, le purifie, et, par une science singulière, le change en or et lui donne la figure d'Achille, celui-ci sera en or au lieu d'être en airain ; mais ce sera pourtant Achille. Ainsi se comporte la matière du corps dépérissable et corruptible, qui par l'art du créateur devient pure et immortelle. » Ce passage pourrait être interprété comme une simple hypothèse philosophique ; mais Énée de Gaza le précise, en disant un peu plus loin : « Le changement de la matière en mieux n'a rien d'incroyable ; c'est ainsi que les savants en l'art de la matière prennent de l'argent et de l'étain, en font disparaître l'apparence, colorent et changent la matière en or excellent. Avec le sable divisé et le natron dissoluble, on fabrique le verre, c'est-à-dire une chose nouvelle et brillante. »

C'est toujours la même association entre les diverses pratiques de la chimie du feu, relatives aux verres et aux métaux. Le mélange mystique des idées de transmutation et de résurrection se retrouve dans les traités des alchimistes grecs, aussi bien que dans Énée de Gaza. « Il faut dépouiller la matière de ses qualités pour arriver à la perfection, dit Stéphanus ; car le but de la philosophie, c'est la dissolution des corps (matériels) et la séparation de l'âme du corps. »

A la même époque, les chimistes apparaissent individuellement et sous leur dénomination véritable dans les chroniques. Le premier qui soit appelé de ce nom est un charlatan, Johannes Isthmeos, qui escroquait les orfèvres au temps de l'empereur Anastase et qui présenta à cet empereur un mors de cheval en or massif : « Tu ne me tromperas pas comme les autres, » repartit Anastase, et il le relégua, en l'an 504, dans la forteresse de Petra, où il mourut. Tous les chroniqueurs byzantins, Cedrenus, Jean Malala, auteurs du Xe siècle, Théophane et d'autres encore, qui ont raconté l'histoire de cette époque, parlent du personnage à peu près dans les mêmes termes ; sans doute en reproduisant un même texte original.

Ce récit rappelle les proscriptions des Chaldéens sous les premiers empereurs. Johannes Isthmeos était l'ancêtre des alchimistes du moyen âge et de la renaissance, qui ont fait tant de dupes en opérant devant les crédules la transmutation des métaux : entre les sectateurs des sciences occultes, les charlatans et les escrocs, il a toujours existé une étroite parenté.

L'alchimie, envisagée comme formant un corps de doctrines scientifiques, n'est pas citée dans les historiens anciens parvenus jusqu'à nous, du moins avant Jean d'Antioche, qui paraît avoir vécu au VIIe siècle. Nous avons reproduit son passage relatif à la destruction des ouvrages chimiques en Égypte par Dioclétien. Mais ce passage est tiré certainement de chroniqueurs plus anciens, probablement de Panodorus. On pourrait rappeler aussi Ostanès et Démocrite, nommés dans Pline et dans Columelle, à la vérité comme magiciens, plutôt que comme alchimistes explicitement désignés : les traités du dernier, relatifs à la coloration du verre, appartiennent bien à notre science. Au VIIIe siècle, le polygraphe Georges le Syncelle connaît nos principaux auteurs et il raconte la prétendue initiation de Démocrite par Ostanès, Marie la juive et Pamménès ; il cite ses quatre livres sur l'or, l'argent, les pierres et la pourpre, à peu près dans les mêmes termes que Synésius. Ce texte est extrait aussi de chroniqueurs antérieurs. D'après Scaliger, il aurait été écrit par le chronographe égyptien Panodorus, moine contemporain d'Arcadius et que le Syncelle cite avec les plus grands éloges ; ceci nous ramène encore au temps de Synésius.

Georges le Syncelle reproduit aussi des extraits étendus de Zosime et de Synésius : or certains de ces mêmes extraits se lisent textuellement dans les manuscrits de nos bibliothèques. Le Syncelle et les auteurs qu'il a copiés avaient donc entre les mains les ouvrages mêmes qui sont arrivés jusqu'à nous. Photius, compilateur du IXe siècle, cite également Zosime, ainsi qu'Olympiodore, dont il nous raconte la biographie. Suidas, au Xe siècle, tient le même langage.

A la même époque nous pouvons invoquer une autorité d'un ordre tout différent, celle des arabes. Dans le Khitab-Al-Fihrist, encyclopédie écrite vers l'an 235 de l'Hégire, c'est-à-dire vers l'an 850 de notre ère, on trouve plusieurs pages consacrées à la liste des auteurs alchimiques. M.Leclerc[5] a cité ce texte et M. Derenbourg a eu l'obligeance de me le traduire verbalement. On y lit les noms d'un grand nombre d'auteurs : les uns perdus, les autres inscrits dans les manuscrits grecs que nous possédons, tels que Hermès, Agothodémon, Ostanès, Chymès, Cléopâtre, Marie, Stéphanus, Sergius, Dioscorus, etc.

A partir de ce temps, nous trouvons chez les Byzantins, puis chez les Arabes et chez les Occidentaux, une chaîne non interrompue de témoignages historiques, relatifs à l'alchimie et aux gens qui l'ont cultivée. Nous touchons d'ailleurs à la date où ont été faites les copies des manuscrits que nous possédons et dont les plus anciens, celui de Saint-Marc à Venise, par exemple, remontent au XIe siècle ; c'est-à-dire qu'ils sont presque contemporains de Suidas.

Il résulte de cet ensemble de faits et de documents une filiation non interrompue de témoignages relatifs à l'alchimie et aux écrivains alchimiques, au moins depuis le IIIe siècle de notre ère ; filiation qui ne le cède en valeur et en certitude à aucune de celles sur lesquelles repose l'autorité des ouvrages les plus authentiques de l'antiquité.

---

1. Dioscoride, V, 110.
2. Livre XXXIII, ch. iv.
3. Livre XXXVII, ch. lxxv.
4. *Æneæ Gazei Theophrastus*. Dialogue platonico-chrétien sur la résurrection des morts, édité par Barthius, p. 71.
5. *Histoire de la médecine arabe*, t. 1, p. 305.

CHAPITRE V – LES PAPYRUS DE LEIDE

*J*l existe à Leide une collection de papyrus égyptiens, qui renferme les plus anciens manuscrits alchimiques connus jusqu'à ce jour. Leur provenance, leur date et la concordance de leurs indications avec celles des manuscrits grecs de nos bibliothèques, fournissent à l'histoire de l'alchimie une base historique indiscutable et donnent lieu aux rapprochements les plus intéressants. C'est pourquoi il paraît utile d'entrer dans quelques détails sur l'origine et sur le contenu de ces papyrus.

La collection de Leide a pour fond principal une collection d'antiquités égyptiennes, réunies dans le premier quart du XIXᵉ siècle, par le chevalier d'Anastasy, vice-consul de Suède à Alexandrie, collection achetée en 1828, par le gouvernement des Pays-Bas. Elle renfermait entre autres objets, plus de cent manuscrits sur papyrus, vingt-quatre sur toile, un sur cuir, etc. Parmi ces papyrus, il en avait vingt en grec et trois bilingues, etc. Ces papyrus ont été l'objet d'une description générale avec commentaire par Reuvens, directeur du musée de Leide, sous le titre de : Lettres à M. Letronne, (au nombre de trois) imprimées à Leide en 1830. M.Leemans, qui a succédé à M.Reuvens dans la direction du musée, a publié depuis quarante ans une nombreuse suite de papyrus, tirés des collections dont il a la garde. Mais jusqu'ici il n'a donné que peu de chose sur les papyrus grecs dont il s'agit, et nous connaissons ceux-ci principalement par les lettres de Reuvens. Un seul de ceux qui nous intéressent a été donné par M. Leemans : c'est le facsimilé d'un papyrus démotique, avec transcriptions grecques, qui renferme quelques mots de matière médicale et d'alchimie et dont Reuvens avait déjà parlé[1]. C'est des publications de Reuvens et de M. Leemans que j'ai tiré la plupart des renseignements qui vont suivre.

J'aurais désiré pouvoir étudier d'une façon approfondie les textes alchimiques qui y sont donnés. Je n'ai pu obtenir l'autorisation d'en faire une copie complète. Mais j'ai réussi cependant à y suppléer, de façon à avoir une connaissance assez étendue de ces textes. En effet, M. Revillout, le savant professeur d'Égyptologie de l'École du Louvre, a eu l'obligeance de me communiquer, sans réserves, la photographie de deux des pages du plus important de ces textes. M.Omont, employé au département des manuscrits de la Bibliothèque Nationale, a bien voulu, avec une rare complaisance, faire de cette photographie une transcription régulière. J'en ai tiré parti pour mes comparaisons.

J'utiliserai aussi deux petits articles du même papyrus sur l'art de donner au cuivre l'apparence de l'or ; articles que M.Leemans a eu la bonté de transcrire et de m'envoyer, mais en me demandant de ne pas en publier le texte. Aussi me suis-je abstenu de les reproduire ; non sans regret, à cause de l'intérêt de la matière traitée par l'un d'eux : dorure sans mercure, c'est-à-dire dorure dans laquelle l'usage d'un alliage de plomb et d'or remplace l'amalgamation.

Trois de ces papyrus sont signalés comme relatifs à l'alchimie : ce sont les n°65, 66 et 75 de Reuyens, le n°66 en particulier. Ils paraissent remonter au IIIe siècle et à une époque antérieure à l'établissement officiel du christianisme. Ils semblent avoir fait partie d'une même trouvaille, tirée probablement du tombeau de quelque magicien de Thèbes. Ce sont en un mot, des manuscrits du même ordre que les livres brûlés par Dioclétien. La magie, l'astrologie, l'alchimie, l'étude des alliages métalliques, celle de la teinture en pourpre et celle des vertus des plantes y sont intimement associées, conformément aux traditions rapportées par Tertullien et par Zosime. Nous y trouvons les noms de Démocrite et d'Ostanès, comme dans les manuscrits de nos bibliothèques et dans Pline ; le Serpent Ouroboros y figure de même. On y lit des alphabets magiques, comme dans le manuscrit 2.249 et dans celui de Saint-Marc. Les symboles astronomiques du soleil et de la lune sont appliqués aux noms des plantes, et à ceux de l'or et de l'argent ; toujours comme chez les alchimistes.

Les idées gnostiques, le mystérieux nombre quatre, commun aux égyptiens, aux gnostiques et aux alchimistes, et jusqu'à l'autorité apocryphe des juifs et de Moïse, y sont pareillement invoqués.

Entrons dans quelques détails.

Les papyrus n° 65 et n° 75 sont bilingues. Le second renferme un texte égyptien hiératique plus ancien, avec un texte grec inscrit sur la face intérieure. Le premier contient en outre des transcriptions interlinéaires de mots démotiques, écrites en grec ; il provient de Thèbes. Ces deux papyrus portent les marques d'un usage journalier et d'une lecture usuelle : ce sont des rituels magiques que le possesseur consultait fréquemment.

En effet, le n° 75 est consacré à des cérémonies magiques, effectuées par l'entremise de l'amour mystique, envisagé comme grande puissance thaumaturgique. Telles sont l'évocation d'un fantôme ; la confection d'une image de l'amour ; la recette d'un philtre, composé de diverses plantes ; la recette mystique pour réussir dans ses entreprises ; plusieurs recettes pour obtenir ou envoyer un songe ; la consultation de la divinité, qui répond sous la forme d'un Dieu à tête de serpent (théomantion) ; un procédé pour porter malheur à quelqu'un ; un autre pour arrêter sa colère.

Puis viennent des procédés d'affinage de l'or ; enfin une recette pour confectionner un anneau jouant le rôle de talisman, en gravant sur un jaspe enchâssé dans cet anneau la figure d'un serpent qui se mord la queue, la lune avec deux astres et le soleil au-dessus. C'est là une figure dont l'analogue se retrouve dans les pierres gravées de la Bibliothèque nationale et dans nos manuscrits alchimiques. L'amour tyrannique figure pareillement dans ceux-ci, au milieu d'une recette de transmutation, dans une phrase incompréhensible, qui semble le lambeau de quelque vieux texte mutilé. On rencontre encore l'amour extracteur d'or dans un exposé mystique, où il est question d'un traité de Kron-Ammon[2], autre personnage énigmatique.

On lit ensuite dans le papyrus une table en chiffre, pour pronostiquer par des calculs la vie ou la mort d'un malade, table attribuée à Démocrite et analogue à la table d'Hermès du manuscrit 2.327 ; une formule pour amener une séparation entre époux ; une autre pour causer des insomnies jusqu'à ce que le patient en meure ; un philtre pour exciter l'amitié, composé de plantes, de minéraux et de lettres magiques ; des explications de noms mystiques des plantes, etc.

Toute cette thaumaturgie répond aux pratiques des sectes gnostiques et de Jamblique. Les noms mêmes des cérémonies sont pareils chez les gnostiques et dans les papyrus : ce qui fixerait la date de ces derniers vers le IIIe siècle. La divination par les songes, qui figure dans le papyrus précédent, se trouve aussi dans le papyrus C, 116 et 122, publié par M. Leemans[3]. Elle est également associée à l'alchimie dans le manuscrit de Saint-Marc, et dans les ouvrages authentiques qui nous restent de l'évêque Synésius. La traduction du texte hiératique écrit au-dessus dans le papyrus, texte plus ancien, fera peut-être remonter plus haut encore la date des pratiques décrites dans ce papyrus.

Quoi qu'il en soit, le mélange des recettes alchimiques, et des pratiques magiques est très caractéristique. L'indication de la table de Démocrite et celle du serpent Ouroboros entourant les figures d'astres, qui se trouvent à la fois dans le papyrus de Leide et dans les manus-crits alchimiques, ne le sont pas moins.

Le papyrus n° 65 est également magique : son revers porte les noms de divers produits animaux, minéraux et végétaux, parmi lesquels la salamandre, le sel ammoniac, l'aphroselinum, la pierre magnétique d'aimant (magnès), la magnésia, le sourcil du soleil et le sourcil de la lune ; celle-ci figurée par un signe astrologique. Le tout renferme des indices non douteux d'alchimie.

Le papyrus n° 66 est surtout capital à ce point de vue : car il ne s'agit plus de simples indices, mais d'une centaine d'articles, relatifs à la fabrication des alliages, à la teinture en pourpre et à la matière médi-cale. C'est un livre sur papyrus, de format in-folio, haut de 30 cm sur 8 cm de large, originaire de Thèbes : il consiste en dix feuilles entières, pliées en deux et brochées, dont huit seulement sont écrites. Cela fait donc seize pages écrites, contenant environ sept cent vingt lignes. Elles sont très lisibles, comme j'ai pu m'en assurer sur la photographie de deux de ces pages : l'écriture serait du commencement du IIIe siècle.

Les articles portent chacun un titre. Ce sont des recettes pures et simples, sans théorie, toutes pareilles par leur objet et par leur rédac-tion à un groupe de formules inscrites dans les manuscrits grecs de nos bibliothèques. Je pense que ces dernières formules ont été probable-ment transcrites à l'origine d'après des papyrus semblables à celui-ci. Le texte même des articles du papyrus que j'ai pu me procurer n'est tout à fait identique dans aucun cas à celui de nos manuscrits ; mais la ressemblance n'en est pas moins frappante, comme je vais l'établir.

Signalons les principaux sujets traités dans les articles du papyrus, en les rapprochant à l'occasion des sujets pareils du manuscrit 2.327. Je les grouperai sous les chefs suivants : plomb, étain, cuivre, argent et asemon, or, pourpre, minerais divers.

Plomb. — Purification et durcissement du plomb. Le premier titre figure à peine modifié dans le manuscrit 2.327 et le second sujet y est aussi traité.

Étain. — Purification de l'étain, décapage et durcissement de ce métal. Les manuscrits donnent de même des procédés pour l'affinage de l'étain.

Purification de l'étain, projeté dans le mélange qui sert à fabriquer l'asemon (c'est-à-dire pour la transmutation de l'étain en argent).

Épreuve de la pureté de l'étain.

Blanchiment de l'étain. Ce titre se retrouve dans le manuscrit 2.327. Dans la langue des alchimistes, le mot blanchiment s'applique d'ordinaire à la teinture du métal transformé en argent, comme le montre l'un des articles du manuscrit 2.327 (fol. 288 vo).

Cuivre. — Blanchiment du cuivre.

Fabrication du cuivre couleur d'or (bronze). Trois articles sont relatifs à ce sujet, qui préoccupait beaucoup les alchimistes ; car il s'agissait d'un premier degré de modification dans le métal, consistant à le teindre superficiellement.

La même préparation se trouve exposée à plusieurs reprises dans le manuscrit 2.327. M. Leemans a eu l'obligeance de copier pour moi deux des articles du papyrus relatifs à la même question, mais sans m'autoriser à les reproduire in extenso. Aucun n'est identique à ceux des manuscrits qui portent le même titre. Le second procédé du papyrus paraît consister dans une dorure obtenue au moyen d'un alliage d'or et de plomb. On l'étendait à la surface du cuivre, puis on passait la pièce au feu à plusieurs reprises, jusqu'à ce que le plomb eut été détruit par une oxydation, à laquelle l'or résistait ; comme l'auteur prend soin de l'indiquer. C'est donc un procédé de dorure sans mercure.

Viennent ensuite les sujets suivants : Décapage des objets de cuivre. Ramollissement du cuivre. Liniment de cuivre.

Argent et Asemon. — Un certain nombre d'articles pratiques transcrits dans le papyrus se rapportent à l'argent proprement dit : purification de l'argent ; décapage des objets d'argent ; docimasie, c'est-à-dire essai de l'argent ; dorure de l'argent ; coloration de l'argent (en couleur d'or ?) Le dernier sujet est traité aussi dans le manuscrit 2.327.

Les suivants concernent l'alchimie proprement dite. Fabrication de l'*asemon*. Le mot *asemon* était regardé au XVIIe siècle comme représentant l'argent sans marque, c'est-à-dire plus ou moins impur, renfermant du plomb, du cuivre ou de l'étain ; en un mot tel qu'il se produit d'ordinaire à l'état brut dans la fonte des minerais. Mais d'après Lepsius, on peut rapprocher ce mot avec plus de vraisemblance du mot égyptien asem, qui exprime l'électrum, alliage d'or et d'argent.

Quoi qu'il en soit, cet intitulé, fabrication de l'*asemon*, se retrouve fréquemment dans les manuscrits ; il est courant chez les alchimistes pour indiquer l'argent ou l'électrum produit par transmutation. On rencontre aussi la forme féminine *asêmê*.

Observons que le mot *poïêsis* affecté à la transmutation figure seul dans le papyrus ; il semble donc plus ancien que les impressions *chrysopoia* et *arguropoia*, quoique celles-ci soient déjà employées par Synésius.

Le titre caractéristique : fabrication de l'*asemon*, reparaît une vingtaine de fois dans les articles du papyrus, sauf quelques variantes : telles que fabrication de l'*asemon* fondu ; fabrication de l'*asemon* égyptien. On voit par là quelle importance la question avait pour les auteurs du papyrus.

La page photographiée que je possède, renferme notamment quatre de ces recettes, que l'on peut comparer avec celles des manuscrits des Bibliothèques : l'une prend l'étain comme point de départ ; une autre, le cuivre et peut être rapprochée d'un texte du manuscrit 2.327 ; une autre emploie l'orichalque (laiton). L'étain, le mercure et le fer sont nommés dans la dernière. Dans les deux premières, on introduit pendant l'opération une certaine dose d'asemon, fabriqué à l'avance et destiné sans doute à jouer le rôle de ferment. La troisième recette se rapproche à plusieurs égards d'un procédé pour doubler l'argent au moyen de l'étain, donné dans le manuscrit 2.327, procédé tiré, dit l'auteur de ce dernier manuscrit, d'un livre très saint. L'alun et le sel de Cappadoce figurent dans les deux textes, c'est-à-dire dans le papyrus comme dans notre manuscrit.

Un titre plus significatif encore est celui-ci : art de doubler l'asemon, lequel reparaît deux fois ; c'est encore le titre de plusieurs articles dans les manuscrits. On peut en rapprocher les suivants : trempe ou teinture de l'*asemon* ; on lit le même titre appliqué à l'or dans les manuscrits. Puis vient dans le papyrus la préparation du mélange ; et le titre singulier : masse de métal inépuisable, intercalé au milieu des procédés de fabrication de l'*asemon*. Citons enfin ceux-ci : affinage (?) de l'*asemon* durci ; essai de l'*asemon* ; comment on atténue l'*asemon*.

Or. — A ce métal se rapportent divers articles, dont la signification semble relative à certaines pratiques industrielles, telles que coloration de l'or ; fabrication de l'or ; préparations pour la soudure d'or. Cette dernière question est traitée aussi dans les manuscrits.

Écriture en lettres d'or. Ce sujet est un de ceux qui préoccupaient le plus l'auteur du papyrus, car il reparaît douze fois. Il n'a pas moins d'importance pour les auteurs des traités des manuscrits des bibliothèques, qui y reviennent aussi à plusieurs reprises, Montfaucon et Fabricius ont publié plusieurs recettes tirées de ces derniers.

Docimasie de l'or ; préparation de la liqueur d'or ; dorure.

Les titres suivants sont relatifs à la transmutation multiplication de l'or ; fabrication de l'or, sujet fréquemment abordé dans les manuscrits ; trempe (ou teinture) de l'or, question également traitée, dans les manuscrits ; art de doubler l'or (plusieurs recettes) ; ce titre n'est pas rare dans les manuscrits.

Cet art de doubler l'or et de le multiplier, en formant des alliages à base d'or, alliages dont on pensait réaliser ensuite la transmutation totale par des tours de main convenables, analogues aux fermentations ; cet art, dis-je, constitue la base d'une multitude de recettes. C'est au doublement de l'or que se rapportent les textes de Manilius et d'Enée de Gaza.

Pourpre. — Dans le papyrus les préparations métalliques sont suivies, sans transition, par les recettes pour teindre en pourpre ; ce qui montre la connexité qui existait entre ces deux ordres d'opérations, connexité attestée pareillement par le contenu du traité *Physica et mystica*, du pseudo-Démocrite. Il ne s'agit pas ici d'une simple comparaison entre l'éclat de la teinture en pourpre et celui de la teinture en or, mais d'un rapprochement plus intime, à la fois théorique et pratique. En effet la fabrication du pourpre de Cassius, au moyen de préparations d'or et d'étain, semble n'être pas étrangère à cette assimilation ; ainsi que la coloration du verre en pourpre par les préparations d'or. Quoi qu'il en soit, nous trouvons dans le papyrus une série de préparations de pourpre, fondées sur l'emploi de l'orcanette et du murex, comme dans le pseudo-Démocrite.

Minerais divers. — Enfin le papyrus se termine par divers extraits du traité de Dioscoride, attribués nominativement à leur auteur ; extraits relatifs à l'arsenic, à la sandaraque, à la cadmie, à la soudure d'or, au minium de Sinope, au natron, au cinabre et au mercure : ce qui nous montre que ce traité servait dès lors de manuel aux opérations métallurgiques.

C'est en effet au moyen du texte de Dioscoride, des ouvrages de Pline et des commentaires de ces ouvrages que nous pouvons retrouver aujourd'hui le sens véritable des dénominations contenues dans les papyrus ; lesquelles sont transcrites avec les mêmes significations techniques dans nos manuscrits alchimiques. La concordance de ces divers textes est des plus précieuses pour en fixer le vrai caractère historique.

---

1. *Monuments Egyptiens du musée de Leide,* p. 85, 4e livraison in-fol., planche XII – (1846). Voir aussi les indications de la 1ère livraison in-8, p. 3, 7, 18, 34 (1839).
2. Ms. 2.327, fol. 215.
3. *Papyri græci*, t. 3, 1re livraison (1843).

CHAPITRE VI – LES MANUSCRITS GRECS DES BIBLIOTHÈQUES

§ 1. — ÉNUMÉRATION DES MANUSCRITS.

*L*es manuscrits alchimiques les plus anciens sont écrits en grec ; ils forment un groupe caractéristique à la Bibliothèque nationale de Paris. Les plus vieux de ceux que nous possédons sont reliés aux armes de Henri II ; ils ont été apportés en France du temps de François I[er1], à l'époque où ce roi faisait faire de grands achats de livres en Grèce et en Orient. Ceux-ci ont été copiés au XVe siècle. D'autres datent du XVIe et du XVIIe, et proviennent de bibliothèques privées, telle que celle du chancelier Séguier, réunies plus tard à la Bibliothèque nationale. Le premier de tous, le n° 2.325, est écrit sur papier de coton avec un soin tout particulier. Il serait du XIIIe siècle, d'après la table manuscrite qui le précède ; de la fin du XIIIe siècle[2], d'après Labbé et d'après Ameilhon ; du XIVe, d'après M. Omont. Son contenu se retrouve entièrement, comme je l'ai vérifié, dans le manuscrit suivant, qui est beaucoup plus étendu.

Le n° 2.327 est le plus complet. Il porte sa date : 1478, et le nom du copiste, Pelekanos de Corfou.

Le n° 2.249 est du XVIe siècle. Il renferme divers traités, qui manquent dans le précédent ; mais beaucoup d'autres y manquent. Il offre des variantes importantes, conformes d'ordinaire au texte du manuscrit de Saint-Marc. Il est interrompu à la fin.

Les autres manuscrits, 2.326, 2.329, 2.250, 2.251, 2.252, 2.275, ne renferment rien de caractéristique, qui n'existe déjà dans les deux types 2.327 et 2.249.

Des copies analogues existent dans la plupart des grandes Bibliothèques d'Europe[3], et il en est fait mention dans leurs catalogues imprimés. La Laurentienne (Florence), l'Ambroisienne (Milan), la Bibliothèque de Gotha, celles de Saint-Marc, de Vienne, du Vatican, les contenaient au siècle dernier, à l'époque où ces catalogues furent publiés, et elles les contiennent probablement encore. La plupart ont été écrits, comme les nôtres, aux XVe et XVIe siècles.

Je signalerai à part le manuscrit de Saint-Marc, le plus beau et le plus ancien que je connaisse. Le gouvernement italien a bien voulu me prêter ce manuscrit capital, que j'ai étudié et comparé avec ceux de la Bibliothèque nationale de Paris. D'après la table imprimée qui la précède, il remonte au XIe siècle. La comparaison de son écriture avec les fac-similés de paléographie confirme cette attribution ; elle tendrait même à la reculer un peu davantage. En effet l'écriture en est toute pareille à celle d'un texte publié dans l'Anleitung zur Grieschischen Palœographie von Wattenbach (1877), comme type du Xe siècle[4]. On peut aussi en rapprocher, bien que la ressemblance soit moindre, un type du XIe siècle[5]. Le manuscrit de Saint-Marc contient d'ailleurs les mêmes ouvrages que les autres.

Leo Allatius, bibliothécaire du Vatican, avait annoncé au XVIIe siècle qu'il se proposait de faire une publication régulière de ces manuscrits. Mais il n'a pas tenu sa promesse et elle n'a été accomplie depuis par personne dans son ensemble ; quoique des portions importantes aient été imprimées et traduites en latin à diverses époques. L'obscurité du sujet et le caractère équivoque de l'alchimie ont sans doute rebuté les éditeurs et les commentateurs. Cependant l'étude méthodique de ces manuscrits et la publication de certains d'entre eux ne serait pas sans intérêt, au point de vue de l'histoire de la chimie, de la technologie du moyen âge, et même à celui de l'histoire des idées régnant en Égypte vers les IIIe et IVe siècles de notre ère. On en tirerait quelque lumière sur les doctrines des derniers néoplatoniciens et des gnostiques, ainsi que certains renseignements sur les vieilles écoles grecques : renseignements d'autant plus précieux, que les auteurs de quelques-uns de ces écrits, Olympiodore, par exemple, paraissent avoir eu entre les mains des ouvrages aujourd'hui perdus, tirés de la bibliothèque d'Alexandrie, ou plutôt des débris qui en subsistaient encore peu de temps avant la destruction de cette bibliothèque ; je parle de la destruction contemporaine de celle du Sérapeum par Théophile, patriarche d'Alexandrie.

§ 2. — DATE ET FILIATION DES OUVRAGES CONTENUS DANS LES MANUSCRITS ALCHIMIQUES

La date des divers ouvrages contenus dans les manuscrits varie ; elle peut être recherchée et souvent assignée, d'après leur contenu et d'après les citations des auteurs byzantins.

Plusieurs écrits sont païens et dus à des contemporains de Jamblique et de Porphyre. Tels sont les opuscules attribués à Hermès, à Agathodémon, à Africanus, à Jamblique lui-même. La lettre d'Isis à son fils Horus et le serment invoquant les divinités du Tartare, portent le même caractère. Une citation du « précepte de l'empereur Julien », personnage si rarement invoqué plus tard, laquelle est donnée au manuscrit 2.327 (fol. 242), se rapporte aussi à cet ordre de traditions.

Peut-être même quelques-uns des ouvrages alchimiques que nous possédons sont-ils contemporains des débuts de l'ère chrétienne. Il en serait ainsi assurément, si l'on admettait l'identité du pseudo-Démocrite, nommé dans nos manuscrits et dans les papyrus, avec Bolus de Mendès, personnage signalé par Pline et par Columelle comme ayant composé certains traités attribués plus tard à Démocrite. Les Physica et mystica de nos manuscrits ont pu aussi faire partie des œuvres magiques du pseudo-Démocrite cité par Pline ; lequel, je le répète, semble n'être autre que Bolus de Mendès, ou quelqu'un de son temps. Les traités relatifs aux vitrifications colorées et aux émeraudes artificielles que nous possédons dérivent de quelque compilation aux traités analogues dont parlent Pline et Sénèque.

Certaines recettes anonymes d'alliages et de pierres précieuses artificielles pourraient être plus anciennes encore, s'il est vrai qu'elles aient été copiées sur les stèles et sur les papyrus des sanctuaires.

Cependant la plupart des auteurs alchimiques sont chrétiens.

Zosime, par exemple, écrivait en Égypte vers le IIIe siècle, au temps de Clément d'Alexandrie et de Tertullien, c'est-à-dire au temps des gnostiques, dont il partage les croyances et les imaginations ; ce que font aussi les papyrus de Leide, qui remontent vers la même époque.

Synésius et Olympiodore appartiennent à la fin du IVe et au commencement du Ve.

Le Philosophe Chrétien peut être regardé comme intermédiaire entre ceux-ci et Stéphanus, d'après le contenu de ses ouvrages : tandis que l'Anonyme serait à peu près du même temps que le dernier auteur. Certaines parties d'ailleurs, telles que les écrits de l'Anonyme et les *Chapitres de Zosime à Théodore* ne sont pas des œuvres complètes et originales : elles offrent le caractère de ces extraits et sommaires, que les polygraphes byzantins avaient coutume de faire et qui nous ont conservé tant de débris des historiens, des orateurs et des poètes anciens.

Stéphanus est un personnage historique, qui a laissé des ouvrages de médecine et d'astrologie, en même temps que d'alchimie. Or il copie textuellement Olympiodore, Synésius et il commente le pseudo-Démocrite. Ces auteurs l'ont donc précédé. Olympiodore lui-même reproduit, textuellement aussi, Synésius, et Synésius commente le faux Démocrite.

Ainsi il existe une filiation non interrompue depuis le Ve siècle de l'ère chrétienne, entre les divers ouvrages qui figurent dans nos manuscrits. Cette filiation a été admise comme incontestable par tous les érudits qui ont eu connaissance de ces manuscrits depuis le XVIIe siècle et elle est confirmée, quant aux écrits les plus anciens, par la découverte des papyrus de Leide.

Presque tous ces écrivains sont antérieurs aux Arabes. Plusieurs d'entre eux sont cités, parfois sans changement, par Georges le Syncelle au VIIIe siècle, par Photius, au IXe siècle, et par les polygraphes byzantins des Xe et XIe siècles, Suidas par exemple.

Le Kitab-al-Fihrist, ouvrage arabe écrit vers l'an 850, nomme également nos écrivains. Ils sont donc antérieurs à Geber, le grand maître des Arabes au IXe siècle. Celui-ci représente d'ailleurs dans ses livres authentiques une science plus méthodique, plus avancée et par conséquent postérieure à celle des alchimistes grecs.

Après ces auteurs, appelés les *philosophes œcuméniques*, l'alchimie a été exposée par des moines byzantins, tels que Cosmas, Psellus et Nicéphore Blemmydas, d'une époque plus récente.

On peut préciser jusqu'à un certain point l'époque où ces écrits ont été rassemblés en un corps encyclopédique, en remarquant que ce corps est antérieur à une tradition mythique fort accréditée au moyen âge, et dont Jean Malala et Suidas nous parlent dès le Xe siècle je veux dire la tradition qui identifie la recherche fabuleuse de la toison d'or par les Argonautes avec celle d'un prétendu livre alchimique[6], écrit sur peau : or notre collection n'en fait aucune mention.

L'ouvrage le plus moderne qu'elle renferme est un traité technique sur les verres et pierres précieuses artificielles, attribué à l'arabe Salmanas (VIIIe siècle), lequel contient de très vieilles recettes, transmises peut-être depuis les anciens Égyptiens. Ce traité a été ajouté aux autres livres à une époque plus rapprochée de nous ; car il n'existe ni dans le manuscrit 2.325, le plus ancien de ceux de Paris, ni dans le manuscrit de Saint-Marc, écrit vers le XIe siècle.

En résumé, c'est par la réunion de ces œuvres de dates diverses que la collection alchimique a été formée à Constantinople, au moyen des écrits de divers auteurs, les uns païens, les autres chrétiens, copiés, commentés et abrégés parfois par les moines byzantins. De là ces copies sont venues en Italie, puis dans le reste de l'Occident.

Une lettre de Michel Psellus (vers 1050) sert en quelque sorte de préface au manuscrit 2.327. Cet érudit byzantin, dont la science était universelle et qui a laissé des traités sur les matières les plus diverses, est peut-être celui qui a constitué la collection elle-même. En tout cas, elle était déjà formée, au XIe siècle, peut-être même au Xe ; car le manuscrit sur parchemin, de Saint-Marc à Venise, remonte à cette époque et il renferme la plupart des textes fondamentaux (sauf le traité de Salmanas).

Ces écrits ont subi ensuite, comme il est arrivé fréquemment pour les manuscrits anciens, diverses additions plus récentes, ainsi que des interpolations et des additions évidentes, de la part des moines byzantins. Ceux-ci en effet les copièrent, non comme des monuments historiques, mais au double titre de textes mystiques et de textes pratiques, qu'ils commentaient à la façon des ouvrages théologiques. En tant que livres industriels surtout, ils étaient exposés à être rectifiés, complétés par chaque copiste, bref, mis au courant des connaissances acquises ; comme le sont les ouvrages techniques de nos jours.

Aux erreurs des copistes se sont parfois ajoutées celles des commentateurs du XVIIIe et du XIXe siècle. Par exemple, les manuscrits renferment un procédé relatif à la trempe du bronze chez les Perses, au temps de Philippe de Macédoine ; bronze dont on peut voir, un échantillon sur les portes de Sainte-Sophie. Cette dernière indication semble sincère. Elle se trouve dans les manuscrits 2.327 et 2.325, mais elle manque dans le manuscrit de Saint-Marc, plus ancien : ce qui prouve qu'elle a été ajoutée après coup par quelque copiste byzantin. Par suite d'une confusion singulière, ce même procédé a été attribué au siècle dernier à un moine de Sainte-Sophie, appelé Philippe de Macédoine. D'autres ont indiqué Philippe Sidètès, prêtre du temps de saint Jean Chrysostome. D'autres encore ont donné ce texte à Zosime. Mais les manuscrits cités ne disent rien de toutes ces attributions. De même la citation des savants ismaélites et les mots techniques arabes, reproduits dans le traité de Salmanas, ont été rapportés à tort par quelques modernes à Zosime, malgré les indications formelles des manuscrits.

Ces manuscrits portent la trace de l'étude passionnée dont ils ont été l'objet autrefois : notes sur les marges, mementos, ratures de certains passages, surcharges, additions sur les feuillets de garde et dans les espaces vides, taches faites par les produits chimiques, telles que les sels de cuivre. En raison de ces circonstances, on pourrait croire que l'ancienneté des figures des instruments qui y sont dessinés, figures souvent reproduites, laisse quelque incertitude. Mais il convient d'observer que ces figures sont les mêmes dans les divers manuscrits ; elles sont plus nettes et plus belles dans le plus vieux, celui de Saint-Marc, que dans aucun autre et elles répondent souvent à des descriptions précises du texte. Les appareils qu'elles représentent sont donc d'une date reculée.

En somme, les traités actuels sont antiques pour la plupart. Le langage, les idées philosophiques, les connaissances techniques, les faits historiques et autres qui y sont relatés, aussi bien que le nom authentique de quelques-uns de leurs auteurs, nous font remonter vers le IVe siècle de notre ère ; peut-être même pour quelques-uns, jusque vers l'ère chrétienne.

§ 3. — ÉTUDES ET PUBLICATIONS EXÉCUTÉES D'APRÈS LES MANUSCRITS ALCHIMIQUES

Rappelons brièvement les études et les publications dont ces manuscrits ont été l'objet jusqu'à ce jour.

Il en est question tout d'abord dans le traité d'Olaüs Borrichius, médecin danois du XVIIe siècle : sur *l'Origine de l'Alchimie*, publié par la *Bibliotheca chemica* de Manget ; l'auteur est savant, mais crédule. Morhofius en a parlé aussi, au XVIIe siècle[7]. Saumaise et Du Cange les avaient lus ; le premier en a tiré diverses citations, dans ses *Plinianæ exercitationes*.

Reinesius en fit alors une étude détaillée, la plus complète qui existe, laquelle a été publiée dans le tome XII – de la Bibliothèque grecque de Fabricius[8]. On y voit la liste des écrits contenus dans un manuscrit de Gotha et la notice détaillée de plusieurs des manuscrits de la Bibliothèque royale de Paris. Cette notice est fort exacte, quant aux citations spéciales. Mais, par suite de quelque méprise de l'éditeur, on a mis bout à bout les titres des traités de plusieurs manuscrits distincts : spécialement ceux des 2.249 et 2.327, comme s'ils étaient contenus dans un volume unique.

Fabricius a publié in extenso le texte et la traduction latine de l'un de ces ouvrages, le commentaire de Synésius sur Démocrite. Cette dernière est tirée d'une publication latine faite au XVIᵉ siècle par Pizzimenti, sous le titre : Democriti de Arte magna, Padoue (1573) ; laquelle renferme la traduction latine du pseudo-Démocrite et celle des Commentaires de Synésius, de Pélage et de Stéphanus. Ces traductions sont peu exactes ; elles ont plutôt le caractère de paraphrases.

Les neuf leçons de Stéphanus ont été transcrites par le docteur Dietz et publiées après sa mort dans les *Physici et medici Græci minores* de Ideler[9]. On lit dans le même ouvrage[10] les poètes alchimiques, dont quelques morceaux avaient été imprimés au XVIIIᵉ siècle.

Signalons encore un fragment sur la bière et des articles sur la trempe du bronze, sur celle du fer, sur la fabrication du verre, publiés par Gruner, puis reproduits dans les *Eclogaphysica* de Schneider.

Le lexique des mots alchimiques, ainsi qu'une partie des signes ont été imprimés par Du Cange : les derniers d'une façon incomplète et sans correction. Le lexique même, sans les signes, est aussi reproduit, cette fois avec beaucoup de soin et d'après le manuscrit de Saint-Marc, à la fin de l'ouvrage de Palladius, de Febribus, par Bernard, p. 120-148 (1745).

Les titres des principaux traités de nos manuscrits existent dans le catalogue imprimé des manuscrits grecs de la Bibliothèque royale, publié au XVIIᵉ siècle par Labbé. L'abbé Lenglet du Fresnoy en a eu connaissance dans son Histoire de la philosophie hermétique (1742). L'Encyclopédie méthodique les signale à l'article Alchimie (1792). Au commencement de ce siècle, Ameilhon, membre de l'Académie des Inscriptions, a donné quatre notes sur le même sujet dans les Notices et extraits des manuscrits de la Bibliothèque nationale[11]. Enfin Hœfer, dans le tome Iᵉʳ de l'Histoire de la Chimie, a parlé aussi de ces manuscrits et il en a publié divers extraits et fragments inédits, texte grec et traduction française.

Signalons brièvement les notices imprimées relatives aux manuscrits contenus dans les autres Bibliothèques d'Europe. Ceux de Gotha et d'Altenbourg ont été décrits par Reinesius, dont Fabricius a reproduit l'article dans sa Bibliothèque grecque (voir la page 105) : ils ne diffèrent pas des nôtres, comme date et comme composition générale.

Celui de Gotha a été consulté également par le professeur Hoffman de Kid, pour un article sur l'origine du mot chimie, publié récemment dans le dictionnaire de Heumann.

Un manuscrit de Vienne a été décrit et analysé par Lambecius[12], au siècle dernier : c'est une copie datant de 1564 ; son contenu se retrouve d'ailleurs dans notre n° 2.327.

Le Catalogue de la Bibliothèque Laurentienne, publié à Florence en 1770, analyse[13] un manuscrit tout à fait analogue. Dietz a parlé d'un manuscrit semblable, de Munich.

Le manuscrit de Leide, signalé par Reuvens[14], est du même type ; certains traités y sont reproduits seulement en abrégé.

La bibliothèque de Saint-Marc contient le plus ancien manuscrit alchimique qui existe. Ce manuscrit, que j'ai entre les mains, renferme les plus importants de nos traités et sa composition générale ne diffère pas sensiblement de celle des précédents. Il est écrit sur parchemin. Il remonterait au XIe siècle, d'après Bernard et d'après le catalogue de 1740 ; sa comparaison avec les types paléographiques donnés dans Wettenbach le reporte en effet entre le Xe et le XIe siècle. Nous possédons trois notices sur ce manuscrit : l'une à la fin du traité de Palladius, de Febribus, publié par Bernard en 1745 ; une autre, dans le Catalogue des manuscrits grecs de la bibliothèque de Saint-Marc, publié en 1740 (p.140 de ce Catalogue), où il porte le n° 299 ; la dernière due à Mordu, dans son ouvrage relatif aux mêmes manuscrits, publié en 1802[15]. J'ai fait moi-même une étude approfondie de ce manuscrit, et j'ai établi une collation soignée de ses articles avec ceux des manuscrits de la Bibliothèque de Paris. D'après la lecture des notices, il semble que le manuscrit de Saint-Marc ait été reproduit dans celui de la bibliothèque Ambroisienne de Milan, manuscrit plus moderne, analysé par Montfaucon[16].

Les études que j'ai faites des manuscrits de Paris, de Saint-Marc, et des analyses imprimées des autres tendent à faire penser que les manuscrits alchimiques dérivent de trois types principaux.

- 1° Le type du manuscrit de Saint-Marc, du XIe ou du Xe siècle, le plus vieux de tous, et dans lequel manquent le traité de Salmanas et divers autres tandis qu'on y trouve le labyrinthe de Salomon, œuvre cabalistique. Le manuscrit 2.249, de la bibliothèque de Paris se rapproche de celui de Saint-Marc par sa composition, quoique avec des variantes importantes. Il contient de même les résumés des traités de Zosime, la Chrysopée de Cléopâtre, etc.

- 2° Le type du manuscrit 2.325, datant du XIIIe siècle ou du commencement du XIVe siècle, reproduit par la plupart des autres copies postérieures ; mais avec addition de certains traités et fragments plus ou moins étendus. C'est ainsi qu'il a passé entièrement (sauf variantes) dans le manuscrit 2.327.
- 3° Le type du manuscrit 2.327, lequel renferme, en outre du précédent, de nombreux traités techniques et des additions fort importantes. C'est le plus étendu qui existe.

Il serait fort désirable que quelque érudit spécialiste fît une étude complète de ces manuscrits, d'après les méthodes de la critique moderne.

Sans prétendre entrer jusqu'au fond de cette question, il m'a semblé cependant utile de reproduire en appendice l'analyse très détaillée du manuscrit 2.327, le plus complet de ceux de notre Bibliothèque ; en en rapprochant la composition du n° 2.325, celle du manuscrit de Saint-Marc, celle du n° 2.249 de Paris, ainsi que celle des manuscrits étrangers, en tant que ces derniers sont connus par les catalogues imprimés.

Je vais présenter ici les résultats généraux que j'ai déduits de cette analyse : résultats intéressants, car ils conduisent à décomposer la collection alchimique en ses éléments essentiels, c'est-à-dire à reconnaître quels sont les traités partiels, théoriques ou techniques, et les groupes de recettes, dont l'assemblage a servi à la constituer. Je demande quelque indulgence pour ce travail d'analyse, fort délicat de sa nature, mais qui semble propre à jeter un certain jour sur l'histoire de la science.

§ 4. — COMPOSITION DE LA COLLECTION MANUSCRITE DES ALCHIMISTES GRECS

Le manuscrit 2.327 est coordonné jusqu'à un certain point à la façon d'un ouvrage moderne, au moins dans ses premières parties : c'est une sorte d'Encyclopédie alchimique, où le copiste a rassemblé tous les traités et morceaux congénères qu'il a pu connaître. Le manuscrit débute par une dissertation ou lettre de Michel Psellus, adressée à Xiphilin, patriarche de Constantinople au milieu du XIe siècle. Elle est placée en tête, en guise de préface. Après diverses intercalations, qui semblent faites sur des pages de garde originellement blanches, on trouve, comme dans un traité de chimie actuel :

- 1° Les indications générales relatives aux mesures et à la nomenclature ;
- 2° L'ensemble des traités proprement dits, théoriques et pratiques, lesquels forment à la suite un tout distinct.

Développons le détail de cette composition.

§ 5. — INDICATIONS GÉNÉRALES

Ces indications comprennent d'abord un traité des poids et mesures, attribué à Cléopâtre, traité classique pour ceux qui s'occupent de l'antiquité ; il existe dans le manuscrit de Saint-Marc et dans beaucoup d'autres. Il se trouve aussi dans les œuvres de Galien et dans divers manuscrits traitant d'autres sujets. Aussi a-t-il été imprimé plusieurs fois, notamment par Henri Estienne dans son Thesaurus Græcæ linguæ. Une autre note relative aux poids et mesures se trouve dans des additions faites à la fin du manuscrit 2.327.

Les noms des *mois égyptiens*, comparés à ceux des mois romains, représentent un renseignement pratique du même ordre.

Le traité des mesures est suivi, toujours comme dans un ouvrage moderne, par l'explication des signes de l'art sacré, lesquels correspondent aux symboles de nos éléments actuels, avec noms en regard. Ce tableau des signes existe aussi dans le manuscrit de Saint-Marc et dans le manuscrit 2.325 : ce qui prouve qu'il remonte au moins au XIe siècle. Quelques-uns des signes qu'il renferme, tels que ceux de l'or et de l'argent, figurent déjà dans les papyrus de Leide. Celui de l'eau est un hiéroglyphe, etc.

En examinant de plus près la liste des signes du manuscrit 2.327, on reconnaît qu'elle résulte de juxtaposition de plusieurs listes, ajoutées et combinées les unes avec les autres à diverses époques. En effet les noms des métaux, et ceux des autres corps y reviennent plusieurs fois, souvent avec des symboles différents, dont les derniers sont de simples abréviations. Le mercure, par exemple, est désigné au début par un croissant retourné, inverse du signe de l'argent ; tandis que dans la liste finale il s'est substitué à l'étain pour l'attribution du métal au signe astronomique de la planète Mercure.

Les listes dont je parle sont faciles à distinguer.

Citons d'abord une première liste, très courte et probablement très ancienne, renfermant seulement les signes des sept planètes et des sept métaux, donnés en sept lignes dans le manuscrit de Saint-Marc. Cette liste se lit également au fol. 280 du manuscrit 2.327, mais plus développée et avec les noms d'une suite de substances annexes et subordonnées. J'y reviendrai.

J'ai reproduit le fac-similé de la première et de la seconde liste du manuscrit de Saint-Marc.

Le manuscrit de Saint-Marc et le manuscrit 2.327 débutent par une autre liste méthodique (seconde liste de signes), commençant par l'or et ses dérivés, suivis de l'argent et de ses dérivés, du cuivre et de ses dérivés, du fer et de ses dérivés, du plomb et de ses dérivés, de l'étain et de ses dérivés ; puis vient le mercure, seul et sans dérivés, etc. Le manuscrit 2.327 renferme, en haut de la feuille 17, certains signes du fer et de ses dérivés, différents de ceux du manuscrit de Saint-Marc.

Toutes ces listes sont absentes dans le manuscrit 2.325. Celui-ci débute par une troisième liste, qui se trouve aussi dans le manuscrit 2.327 ; mais qui manque dans le manuscrit de Saint-Marc. Elle commence au mot *thalassa* et finit au mot *leukê aithalê ê udrarguros legetaï*. Puis viennent les signes du plomb, de l'électrum, du fer, du cuivre, de l'étain, tirés de la même liste planétaire, qui figure tout d'abord au manuscrit de Saint-Marc.

On reprend la liste de celui-ci dans les manuscrits 2.325 et 2.327, à partir du mot *klaudianon* jusqu'à la fin ; les trois manuscrits étant conformes entre eux pour cette quatrième partie.

Commence alors dans les manuscrits 2.325 et 2.327 une cinquième liste des métaux, en cinq lignes, depuis *chrusos* jusqu'à *sidêrôs*.

Elle est suivie par une sixième liste plus courte, existant dans les deux manuscrits, et qui débute par le mot caractéristique *allo* (autre). Le mercure, la litharge, etc., figurent dans ces deux listes, avec des signes distincts. Les symboles de l'ange et du démon dans la dernière semblent indiquer qu'elle a été tirée de quelque livre magique.

Une septième liste, signalée par le mot *allôs*, suit les trois précédentes dans le manuscrit 2.327 c'est surtout une liste de matières médicales.

Au verso du fol.18 du manuscrit 2.327 reprend une huitième liste, comprenant les métaux. Elle est plus moderne ; car l'électrum a disparu. L'étain s'y trouve avec le signe de la planète Jupiter, au lieu du signe de la planète Mercure, qu'il possédait dans la première et dans la troisième. Le métal mercure a de même changé de signe et il affecte le symbole de la planète Mercure, précédemment consacré à l'étain.

En résumé, ces listes multiples semblent avoir été tirées de manuscrits distincts par l'époque et la composition, dans lesquels elles figuraient d'abord ; elles ont été mises bout à bout, en tête de la collection du manuscrit 2.327.

Le serpent qui se mord la queue (dragon Ouroboros) doit être rapproché des signes des métaux, bien qu'il soit dessiné et décrit à une place toute différente dans le manuscrit. J'ai montré l'origine égyptienne et gnostique de ce symbole, qui existe aussi dans les papyrus de Leide et sur les pierres gravées du IIIe siècle, conservées dans nos collections.

Après la liste des signes, vient le Lexique des mois de l'art sacré, par ordre alphabétique ; toujours comme dans certains traités modernes de chimie. Le lexique se lit dans le manuscrit 2.325 et dans le manuscrit de Saint-Marc. Il existait donc dès le XIe siècle.

Bernard l'a donné in extenso, à la suite de son édition du Traité de Palladius sur les fièvres (1745).

Le lexique a été précédé par des nomenclatures beaucoup plus anciennes et de caractères divers, dont il représente l'assemblage. Tel est le petit ouvrage sur l'œuf philosophique, qui suit dans le manuscrit 2.327, et qui renferme une nomenclature symbolique des parties de l'œuf, relatives à l'art sacré ; cette même nomenclature se trouve dans le manuscrit de Saint-Marc, où les mots caractéristiques ont été grattés. Tels sont encore les listes ou catalogues de substances, attribués à Démocrite et transcrits en divers endroits. Je les rappelle plus loin.

C'est maintenant le lieu de citer la liste des faiseurs d'or (poïêtes). Le manuscrit de Saint-Marc la contient aussi, avec des variantes importantes, et elle est le développement d'une liste plus courte, donnée par le Philosophe Anonyme. Je reproduirai tout à l'heure cette dernière.

La liste principale se termine dans le manuscrit 2.327 par un énoncé des lieux où l'on prépare la pierre philosophale, en Égypte, à Constantinople, etc. Une désignation analogue et plus ancienne, car elle ne renferme que des noms de localités égyptiennes, existe au fol. 249, verso. J'ai dit que ces listes paraissaient être le résumé et l'interprétation alchimique d'un passage d'Agatharchide, relatif aux exploitations métallurgiques de l'Égypte.

Les indications générales qui viennent d'être signalées, telles que celles des poids et mesures, des signes et de la nomenclature, sont suivies dans le manuscrit 2.327 par la reproduction des traités alchimiques proprement dits. Ceux-ci peuvent être groupés sous diverses catégories.

§ 6. — TRAITÉS THÉORIQUES

Un premier ensemble est formé par les ouvrages théoriques et philosophiques. Il se compose de plusieurs collections distinctes.

La première constitue ce que l'on pourrait appeler les traités démocritains je veux dire le pseudo-Démocrite et ses commentateurs. Le pseudo-Démocrite est représenté par un traité fondamental, intitulé Physica et Mystica[17], base de tous les commentaires, lequel se trouve également dans le manuscrit 2.325, dans celui de Saint-Marc, etc. On doit en rapprocher la Lettre de Démocrite à Leucippe ; les extraits d'un ouvrage de Démocrite adressé à Philarète, lesquels renferment un catalogue de matières minérales, la définition des substances, etc. ; enfin quelques autres citations de Démocrite, éparses dans les écrits de l'Anonyme et ailleurs.

Le pseudo-Démocrite est commenté d'abord par Synésius, puis par Stéphanus, dans ses neuf leçons. Ces auteurs sont transcrits dans le manuscrit 2.325, dans le manuscrit de Saint-Marc, etc.

Les traités de cette collection ont été traduits en latin, ou plutôt paraphrasés, par Pizzimenti en 1573[18]. Le texte même de Synésius a été imprimé par Fabricius, dans sa Bibliothèque grecque, et celui de Stéphanus par Ideler, dans ses Physici et medici græci minores.

La collection Démocritaine comprend encore l'ouvrage d'Olympiodore, intermédiaire par sa date ; car il cite Synésius et ne nomme pas Stéphanus. Il représente une culture philosophique plus voisine que le dernier des néoplatoniciens. Mais cet ouvrage n'accompagne pas les précédents dans tous les manuscrits. Il existe dans le manuscrit de Saint-Marc et dans le manuscrit 2.327 ; mais il manque dans le manuscrit 2.325 et il offre des variantes très considérables dans les manuscrits 2.250 et 2.249. Sa publication offrirait beaucoup d'intérêt.

Auprès de ces auteurs, on peut grouper les écrits attribués à *Cléopâtre la Savante*, et les écrits de *Marie la Juive*, écrits composés probablement à une époque voisine du pseudo-Démocrite, et dont nous possédons des extraits étendus, cités entre autres par Stéphanus ;

Les écrits d'*Ostanès*, le prétendu maître de Démocrite dont parle Pline ;

Ceux de *Comarius*, le précepteur de Cléopâtre, commentés ou inter-
polés par un anonyme chrétien ;

Ceux de *Jean l'Archiprêtre dans la divine Evagie et les sanctuaires qui en
dépendent*[19] ; le manuscrit de Saint-Marc dit : *Jean l'Archiprêtre de la
Tuthie en Évagie et des sanctuaires,* etc.

Enfin les écrits de *Pélage.*

Un second groupe de traités, congénères des écrits démocritains,
est constitué par les livres hermétiques, contemporains par le style et
les idées avec le *Pœmander,* tels que :

- le discours de la *Prophétesse Isis à son fils Horus ;*
- Le *Commentaire d'Agathodémon sur l'oracle d'Orphée ;*
- L'*Énigme tirée des livres sybillins et son commentaire par Hermès
  et Agathodémon.* Le chroniqueur Cedrenus[20] établit une
  certaine relation entre cette énigme et un autre petit écrit sur
  les mœurs des philosophes, écrit qu'il attribue d'ailleurs à
  Dérnocrite.

Le serment des initiés figure dans le discours d'Isis sous une forme
païenne et il est reproduit avec des variantes considérables qui lui
donnent un caractère chrétien, soit à l'état anonyme, soit sous le nom
de Pappus : il dérive des mêmes traditions.

Il en est peut-être de même de l'article, relatif à *l'assemblée des philosophes,* qui semble, au moins par son titre, avoir servi de point d'attache à la *Turba philosophorum,* écrit alchimique célèbre au moyen âge.

Les interprétations sur les lumières, que l'on lit ensuite, sont probablement aussi du temps des gnostiques et de Zosime.

Il en est de même de la Coction excellente de l'or ; à la suite de
laquelle figurent les procédés de Jamblique, les procédés pour doubler
l'or, etc., lesquels semblent contemporains de ceux des papyrus de
Leide.

Le *signe d'Hermès* et *l'instrument d'Hermès trismégiste* pour prévoir
l'issue des maladies ; ainsi que *la Chrysopée de Cléopâtre,* formée uniquement de noms et de signes magiques, rappellent l'union originelle de
l'alchimie avec la magie et l'astrologie.

Tout ceci se rattache en définitive aux livres hermétiques et porte
l'empreinte des doctrines néoplatoniciennes et gnostiques.

Aux mêmes doctrines se rapporte un troisième groupe, comprenant les livres de zosime le panopolitain, le plus vieil auteur alchimique authentique que nous possédions. Zosime avait rédigé, d'après

Suidas, vingt-huit traités d'alchimie. Un grand nombre de ces ouvrages, les uns mystiques, les autres techniques et relatifs à des descriptions d'instruments et d'opérations réelles, sont venus jusqu'à nous : les uns complets, les autres à l'état d'extraits, faits par le Philosophe Anonyme et par divers moines, d'autres à l'état de résumés seulement. J'en donnerai les titres plus loin, en parlant de Zosime en particulier.

Les mêmes traités existent à la fois dans les manuscrits 2.325 et 2.327 ; quelques-uns d'entre eux seulement sont contenus dans le manuscrit de Saint-Marc. Le manuscrit 2.249 nous a conservé certains sommaires.

Les auteurs que je viens d'énumérer, ceux des traités démocritains, ceux des traités hermétiques, ainsi que Zosime, sont dits *œcuméniques* dans les manuscrits. Après eux viennent leurs commentateurs chrétiens et anonymes, écrivains de l'époque byzantine, qui ont écrit en Égypte et à Constantinople, avant le temps des Arabes. Tels sont les *Livres du Chrétien* sur la bonne constitution de l'or et sur l'eau divine ; et l'écrit du *Philosophe Anonyme* sur l'eau divine.

L'explication de la science de la Chrysopée par le saint moine Cosmas, appartient au même groupe. Mais elle y a été ajoutée plus tard. En effet, elle ne figure ni dans le manuscrit de Saint-Marc, ni dans le texte primitif du manuscrit 2.325. Dans ce dernier elle se trouve à la suite, transcrite d'une tout autre écriture, moins soignée et presque effacée. Son auteur réel ou pseudonyme serait-il le moine qui voyagea dans l'Inde ?

Tels sont les traités philosophiques, théoriques et mystiques, qui composent le *Corpus* des Alchimistes grecs.

§ 7. — POÈMES ALCHIMIQUES

Un second ensemble, très intéressant pour l'histoire générale, mais sans importance pour celle de la chimie, comprend les poètes alchimiques, lesquels se présentent sous un titre commun : *traités tirés de la Chimie mystique*. Il renferme les poèmes d'Héliodore, de Théophraste, d'Archelaüs, d'Hiérothée. Les premiers de ces poèmes paraissent écrits par des auteurs de la fin du IVe siècle, contemporains de Théodose ; mais ils ont subi des interpolations successives dans les manuscrits, lesquelles ont fini parfois par transformer les iambes du IVe siècle, en vers dits politiques d'une basse époque.

Jean de Damas et d'autres ont écrit plus tard des morceaux analogues, qui se trouvent seulement dans quelques manuscrits.

Les poèmes manquent dans le manuscrit 2.325 ; mais ils existent dans le manuscrit de Saint-Marc. Quelques-uns avaient été imprimés à la fin du traité de Palladius, de Febribus, en 1745. L'ensemble a paru dans le deuxième volume des Physici et Medici græci minores de Ideler (1842).

§ 8. — TRAITÉS TECHNOLOGIQUES.

Un troisième ensemble est celui des traités et des recettes technologiques. Je vais essayer de classer ces traités et recettes, dont l'origine est très diverse quelques-uns semblent remonter à l'Égypte grecque et plus haut peut-être, tandis que d'autres sont de l'époque arabe. La plupart se trouvent seulement dans le manuscrit 2.327.

Je signalerai d'abord « *le Livre de l'alchimie métallique, sur la chrysopée, l'argyropée, la fixation du mercure, renfermant les évaporations, les teintures, les traitements par déflagration (?) ; il traite aussi des pierres vertes, escarboucles, verres colorés, perles, comme de la teinture en rouge des vêtements de peaux destinés à l'empereur : tout cela est produit au moyen des eaux par l'art métallurgique.* » La fin de l'ouvrage est marquée en marge. Un certain nombre de recettes et d'articles isolés, transcrits sans nom d'auteur, sont probablement tirés de ce recueil ; mais il n'est pas facile de le reconstituer d'une manière précise.

Un traité, plus ancien peut-être, a pour titre : *Bonne confection et heureuse issue de la chose créée et du travail et longue durée de la vie*, titre reproduit à la dernière ligne. Il est relatif aux opérations sur les métaux. Il débute par la phrase suivante : « Et le Seigneur dit à Moïse, j'ai choisi en nom Beseleel, le prêtre de la tribu de Juda, pour travailler l'or, l'argent, le cuivre, le fer, tous les objets de pierre, de bois, et pour être le maître de tous les arts. »

Ce nom est caractéristique : c'est celui d'un des architectes de l'arche et du tabernacle dans l'Exode. Il semble que le traité actuel soit le même qui est désigné ailleurs sous le nom de chimie domestique de Moïse. Je ne l'ai rencontré que dans le manuscrit 2.327. Rappelons que le nom de Moïse, regardé comme auteur de traités astrologiques et magiques, figure également dans les papyrus de Leide.

Ce traité renferme des passages étranges, qui semblent les débris de quelque papyrus, copiés à la suite, d'une façon incohérente, sans préoccupation du sens général des titres, ni des phrases qui précédent. C'est ainsi que sous la rubrique : *matière de l'argyropée*, on lit, après des formules de minéraux et sans aucune transition, neuf lignes tirées de l'article sur la teinture en pourpre de Démocrite : « Ces auteurs sont estimés par nos prédécesseurs, etc. » ; puis vient la finale banale des traités démocritains : « La nature triomphe de la nature, et la nature domine la nature. » Ceci jette un jour singulier sur le mode de composition des manuscrits que nous étudions.

Dans un troisième traité, intitulé *Fusion de l'or très estimée et très célèbre*, l'auteur expose des procédés de dorure et d'argenture, d'autres procédés pour confectionner des lettres d'or[21], pour souder l'or et l'argent, pour fabriquer des alliages de cuivre semblables à l'or. Plusieurs de ces procédés offrent par le détail des traitements qu'ils décrivent une ressemblance frappante avec ceux des papyrus de Leide. On dirait que ces derniers ont été extraits de quelque traité de ce genre ; au même titre que l'on y rencontre des articles tirés de Dioscoride.

Un autre traité du manuscrit 2.327 pourrait être appelé le travail des quatre éléments. Il contient diverses recettes obscures et se termine par les dénominations de l'œuf philosophique.

La Technurgie du célèbre Arabe Salmanas rapporte une série de procédés sur la fabrication des perles artificielles et sur le blanchiment des perles naturelles. Ce traité existe aussi dans plusieurs autres manuscrits. C'est une collection qui semble remonter au VIIIe siècle et qui doit avoir été tirée d'un ouvrage plus ancien.

A la suite, se trouvent dans les trois manuscrits (2.325, 2.327, 2.249), des recettes distinctes et positives pour fabriquer l'argent, tremper le bronze, etc., plus vieilles que la rédaction actuelle de la technurgie. En effet, ces procédés figurent dans le manuscrit de Saint-Marc, lequel ne parle ni de Salmanas, ni des perles. Ce sont d'abord trois recettes pour fabriquer l'argent (asemon) avec le plomb, et avec l'étain, tout à fait analogues à celles du papyrus de Leide ; puis viennent la fabrication de l'or, celle du cinabre, la fabrication du mercure (laquelle manque dans le manuscrit 2.325).

Ensuite on lit les recettes pour *la coloration des verres, émeraudes, escarboucles, hyacinthes, d'après le livre du sanctuaire*, vieilles formules où l'on cite le livre de Sophé l'Égyptien (ouvrage de Zosime) et la chimie de Moïse.

Une série distincte de recettes métallurgiques, qui se rencontre aussi dans le manuscrit de Saint-Marc et dans le manuscrit 2.325, concerne la trempe du bronze, écrite au temps de Philippe de Macédoine, la trempe du fer indien, etc. Ces deux recettes ont été imprimées par Gruner en 1814, et par Schneider dans les Ecloga Physica ; un procédé pour la fabrication du verre a été imprimé en même temps il y est question du verre bleu et de diverses espèces de verres verts, telles, que le prasinum et le venetum, mots déjà employés par Lampride au IIIe siècle.

Telle est la composition générale des manuscrits alchimiques grecs.

---

1. *Bibliotheca Chemica* de Manget, t. I, p. 41.
2. Catalogue des manuscrits grecs de la Bibliothèque royale.
3. Fabricius, *Bibliotheca græca*, t. XII, p. 747-751. Édition de 1724.
4. *Ex Codice Palatino* n° 398, fol. 191, *Meleagrides*.
5. *Cod. Palat.* n° 252.
6. *Salmasii Plinianæ Exercitationes*, p. 772, b. B. (1689).
7. *Polyhistor*, t. I, p. 101.
8. P. 747, 751, 1re édition, 1724.
9. T. II, p. 199 à 253. Berlin, 1842.
10. T. II, p. 328 à 353.
11. T.V, 358, 374; t.VI, p.302, an Ix ; t.VII, p.222.
12. *Comment. de Bibl. Cæsarea*, etc. Pars II, livre VI, p. 380.
13. T. III, p. 347.
14. Troisième lettre à M. Letronne, p. 73.
15. T.I, p.172.
16. *Paléographie grecque*, p. 374.
17. Ms. 2.327, fol. 24 vo à 31.
18. *Democriti de Arte magnâ*.
19. *Euvagia* signifie Sainteté. Le mot originel du lieu appelé *Tuthia* parait avoir été changé par les copistes en l'adjectif *theia* (divine), plus facile à comprendre.
20. Édition de Paris, p. 121.
21. Montfaucon a reproduit l'un de ces articles dans sa *Paléographie grecque*.

LIVRE SECOND : LES PERSONNES

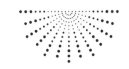

CHAPITRE PREMIER – LES ALCHIMISTES ŒCUMÉNIQUES

onnons les noms des alchimistes grecs, ceux-là surtout que les anciens manuscrits appellent *œcuméniques*, à cause de leur importance et de leur autorité universelle. La liste la plus vieille est celle du Philosophe Anonyme : « Exposé des règles de la Chrysôpée, en commençant par les noms des artistes. Hermès Trismégiste écrivit le premier sur le grand mystère. Il fut suivi par Jean, l'Archiprêtre de la Tuthie en Evagie et des sanctuaires qui s'y trouvent. Démocrite, le célèbre philosophe d'Abdère, parla après eux, ainsi que les excellents prophètes qui le suivirent. On cite alors le très savant Zosime. Ce sont là les philosophes œcuméniques et renommés, les commentateurs des théories de Platon et d'Aristote. Olympiodore et Stéphanus, ayant fait des recherches et des découvertes, ont écrit de grands mémoires sur l'art de faire de l'or. Tels sont les livres très savants dont l'autorité va nous guider. » Cette liste remonte au VIIe ou au VIIIe siècle ; elle peut être étendue, en y adjoignant les noms des auteurs qui font partie des énumérations suivantes.

En effet, une liste presque aussi ancienne figure au commencement du manuscrit de Saint-Marc, sous la rubrique : « Noms des philosophes de la science et de l'art sacrés. Ce sont : Moïse, Démocrite, Synésius, Pauseris, Pebichius, Xénocrate, Africanus, Lucas, Diogène, Hippasus, Stéphanus, Chimès, Le Chrétien, Marie, Petasius, Hermès, Théosébie, Agathodémon, Théophile, Isidore, Thalès, Héraclite, Zosime, Philarète, Juliana, Sergius. » A côté des noms des vieux philosophes grecs, tels que Xénocrate, Diogène, Hippasus, Thalès, Héraclite, cette liste contient les noms d'auteurs alchimistes véritables, cités pour la plupart dans les traités que nous possédons.

Voici une autre liste, d'après les manuscrits de la Bibliothèque nationale :

« Connais, ô mon ami, le nom des maîtres de l'œuvre : Platon, Aristote, Hermès, Jean l'Archiprêtre dans la divine Evagie, Démocrite, Zosime le grand, Olympiodore, Stéphanus le philosophe, Sophar le Perse, Synésius, Dioscorus le prêtre du grand Sérapis à Alexandrie, Ostanès et Comarius, les initiés de l'Égypte, Marie, Cléopâtre femme du roi Ptolémée, Porphyre, Épibéchius, Pélage, Agathodémon, l'empereur Héraclius, Théophraste, Archelaüs, Petasius, Claudien, le Philosophe Anonyme, Ménos le philosophe, Panseris, Sergius. Ce sont là les maîtres partout célèbres et œcuméniques, les nouveaux commentateurs de Platon et d'Aristote. Les pays où l'on accomplit l'œuvre divine sont l'Égypte, la Thrace (Constantinople), Alexandrie, Chypre, et le temple de Memphis. »

La dernière liste, sous sa forme actuelle, serait postérieure au temps d'Héraclius, d'après la citation du nom de cet empereur et de celui de Stéphanus, son contemporain. Elle fait mention du temple de Memphis, probablement détruit en même temps que le Serapéum vers la fin du IVe siècle ; ce qui en ferait remonter plus haut la première rédaction.

Remarquons cependant que les noms des laboratoires alchimiques signalés ici sont de l'époque byzantine. Or il existe une énumération beaucoup plus vieille des endroits où l'on prépare l'or, énumération où il est question seulement de villes égyptiennes, dont le nom a été parfois mutilé par un copiste qui ne les connaissait pas. « Il faut connaître en quels lieux de la terre de la Thébaïde se prépare la poudre mystérieuse : Cléopolis (Héracleopolis), Alycoprios (Lycopolis), Aphrodite, Apolenos (Apollinopolis) et Éléphantine. » Ces noms eux-mêmes paraissent tirés d'un morceau défiguré d'Agatharchide, relatif aux sièges des exploitations métallurgiques d'Égypte, sièges qui auraient été identifiés plus tard avec les lieux supposés de la fabrication de l'or.

En somme, pour les lieux, comme pour les hommes, il semble que nous ayons affaire dans tout ceci à des listes anciennes, complétées plus tard par les copistes et commentateurs et étendues jusqu'au VIIe siècle.

Comparons-les avec les auteurs alchimiques cités dans le Kitab-al-

Fihrist, catalogue des sciences de Ibn-Abi-Yacoub-An-Nadim, auteur mort en l'an 235 de l'Hégire c'est-à-dire vers 850. Ce traité est postérieur à nos listes et peut servir à les contrôler. M. Derenbourg a eu l'obligeance de traduire verbalement pour moi la page 353 du texte et les suivantes. La magie et l'alchimie y sont confondues, conformément aux analogies historiques.

Voici le résumé de ce texte :

« Œuvres d'Hermès sur la magie : — livres d'Hermès à son fils sur la magie — livre de l'or qui coule (fusion de l'or ?)[1], — livre adressé à Toth, sur la magie, etc.

« Ostanès d'Alexandrie. Il a écrit mille dissertations sur les secrets et les énigmes, etc.

« Zosime a suivi la même voie qu'Ostanès. Il a écrit les clefs de la magie, qui comprennent un grand nombre de livres et de traités.

« Les noms des philosophes qui se sont occupés de magie comprennent Hermès, Agathodémon, Onatos (?), philosophe pythagoricien de Crète, Platon, Zosime, Démocrite, Ostanès, Hercule (ou Héraclius), Marie, Stéphanus, Chymès, Alexandre, Archelaüs, le prêtre chrétien Arès. » Suivent divers noms qu'il n'a pas été possible de faire coïncider avec ceux des chimistes grecs.

A la page 354, l'auteur arabe donne les titres des livres écrits par les sages, livres qu'il cite pour les avoir vus, ou d'après un auteur autorisé. On y trouve, parmi d'autres inconnus ou non identifiés, les titres suivants qui se rapportent tous à des ouvrages ou à des personnages dénommés dans nos manuscrits : ouvrage de Dioscorus sur la magie ; ouvrage de Marie la Copte ; livre d'Alexandre sur la pierre ; livre de la pierre rouge ; traité de Dioscorus répondant à Petasius ; livre de Stéphanus ; grand livre de Marie ; livre d'Eugenius ; livre de la reine Cléopâtre ; livre de Sergius adressé à Kavini, évêque d'Edesse ; le grand livre d'Arès (ou d'Horus), le petit livre d'Arès ; livre du Nazaréen... Livre de Démocrite sur les dissertations ; livre de Zosime adressé à tous les sages... Livre du moine Sergius sur la magie... Dissertation de Pélage ; livre de Théophile, etc.

En somme, dès le IXe siècle, les auteurs alchimiques que nous possédons étaient entre les mains des Arabes, lesquels ont pris les Grecs pour guides en alchimie, comme dans les autres sciences. La concordance entre les noms contenus dans ces diverses listes, d'origines si différentes, en atteste l'authenticité : je veux dire qu'elle prouve l'existence avant le IXe siècle, de traités attribués à Hermès, à Démocrite, à Zosime, à Marie, à Stéphanus, traités dont certain nombre sont parvenus jusqu'à nous par le manuscrit de Saint-Marc et par ceux de la Bibliothèque nationale de Paris et des autres Bibliothèques euro-péennes. Le manuscrit 2.327, que nous suivons de préférence, renferme en effet des traités portant les noms de la plupart de ces auteurs ; nous avons essayé de donner plus haut la classification de leurs ouvrages.

Passons en revue les noms mêmes des auteurs, ceux du moins auxquels ont peut rattacher quelque commentaire historique. Pour plus de clarté, nous les décomposerons en plusieurs catégories : les auteurs mythiques, dieux, rois, et prophètes ; les auteurs pseudo-nymes, et enfin les auteurs historiques, c'est-à-dire les auteurs réels, je veux dire connus sous leur nom véritable.

---

1. Voir le traité intitulé : *Fusion excellente de l'or.*

CHAPITRE II – LES ALCHIMISTES MYTHIQUES

§1. — HERMÈS

*L*e premier groupe des alchimistes renferme des personnages mythiques et divins, tels que Hermès, Isis, Agathodémon.

Tous ces noms se rattachent à l'Égypte et à l'ordre de ceux qu'invoquent les gnostiques et le *Pœmander*. Hermès, synonyme de Toth, était, nous l'avons déjà dit, le patron des sciences et des arts dans la vieille Égypte. Les anciens livres, au nombre de vingt mille d'après les uns, de trente-six mille cinq cents, d'après les autres, portaient son nom. J'ai décrit plus haut, d'après Clément d'Alexandrie, la procession solennelle, dans laquelle ces livres étaient portés en cérémonies. La tradition en vertu de laquelle on attribuait à Hermès les ouvrages secrets sur la magie, l'astrologie, la chimie, a longtemps persisté. L'é-tain, à l'origine, et plus tard le mercure, agents de la transmutation, lui ont été consacrés. La chimie même portait au moyen âge le nom de *science hermétique*. Il a existé certainement des écrits alchimiques sous le nom d'Hermès : car ils sont continuellement cités par Zosime, par Sté-phanus et par les autres auteurs de nos manuscrits grecs.

Voici l'un des passages qui sont réputés tirés de ces écrits et qui peuvent donner une idée de leur style : « A l'entrée orientale du temple d'Isis, vous verrez des caractères relatifs à la substance blanche (argent). A l'entrée occidentale, vous trouverez le minerai jaune (or), près de l'orifice des trois sources. » Cette description est-elle réelle ou symbolique ?

Ailleurs, on attribue à Hermès l'un des axiomes favoris des alchimistes. « Si vous n'enlevez pas aux corps leur état corporel et si vous ne transformez pas en corps les substances non corporelles, vous n'obtiendrez pas ce que vous attendez ; » ce qui veut dire si vous n'enlevez pas aux métaux leur état métallique (par oxydation, dissolution, etc.), et si vous ne régénérez pas les métaux avec des substances non métalliques, etc.

L'hymne mystique d'Hermès, invoqué dans le *Pœmander*, était récité par les alchimistes : « Univers, sois attentif à ma voix ; terre, ouvre-toi ; que la masse des eaux s'ouvre à moi. Arbres : ne tremblez pas, je veux louer le Seigneur, le Tout et l'Un. Que les Cieux s'ouvrent et que les vents se taisent, que toutes mes facultés célèbrent le Tout et l'Un. » — La formule du Tout et de l'Un reparaît continuellement dans les écrits des alchimistes grecs. Elle formait le fond de leur doctrine, car elle exprimait l'unité de la matière et la possibilité de transmuter les corps les uns dans les autres.

La table d'émeraude d'Hermès, citée par les auteurs du moyen âge, débute par des mots sacramentels, pareils à ceux que nous lisons dans les œuvres de Zosime : « En haut les choses célestes, en bas les choses terrestres ; par le mâle et la femelle l'œuvre est accompli. »

Cependant, ni l'*Œuvre du Soleil d'Hermès*, ni aucun livre qui porte son nom n'est arrivé jusqu'à nous ; les traités arabes attribués à Hermès que nous possédons sont très postérieurs. Mais on trouve dans nos manuscrits l'attribution à Hermès d'une table astrologique (dite instrument) et celle d'un commentaire sur l'énigme de la Sybille.

L'Instrument d'Hermès est un tableau de chiffres, destiné à prévoir l'issue d'une maladie d'après un nombre compté d'une certaine manière, à partir du lever de Sirius, au mois Epiphi. Les tables de ce genre sont fort anciennes en Égypte ; les papyrus de Leide en contiennent une, attribuée à Démocrite, et le manuscrit 2.419 de la Bibliothèque nationale en renferme plusieurs, dites de Pétosiris.

Sous le nom d'Hermès et d'Agathodémon figure le commentaire d'une énigme relative à la pierre philosophale. « J'ai neuf lettres et quatre syllabes, connais-moi. Les trois premières ont chacune deux lettres, etc. Cette énigme se trouve dans les livres sibyllins ; elle a beaucoup occupé les alchimistes ; elle est citée par le pseudo-Démocrite, par Olympiodore, et commentée longuement par Stéphanus (dans sa VIe praxis). La traduction serait le mot arsenicon, d'après Cardan et d'après Leibnitz, qui ont eu connaissance du texte de Stéphanus[1]. On en donne aussi des interprétations toutes différentes, telle que Zoës bythos, l'abîme de la vie ; Theos soter, le Dieu Sauveur ; anexphonos ; phaosphoros, etc. ; dans les éditions des livres sybillins. En tous cas, la date du Ier livre nous reporte vers le IIIe siècle ; ce qui concorde avec les autres indications des ouvrages alchimiques.

§ 2. — AGATHODÉMON

Agathodémon, ou le bon génie, est synonyme du dieu égyptien Cnouphi : il représente une divinité médicale. Chez certains gnostiques on adorait le serpent comme son emblème, et on conservait même des serpents domestiques, désignés sous le nom d'Agathodémons, et regardés comme les protecteurs de la maison[2]. On voit la parenté de ce personnage avec le serpent qui se mord la queue, emblème de l'alchimie. Ses sectateurs (Agathodémonites) ont même été identifiés avec les alchimistes.

Olympiodore soupçonne déjà, malgré sa crédulité, le caractère mythique et évhémérisé d'Agathodémon. « Les uns disent que c'est un ancien, l'un des vieux philosophes de l'Égypte ; les autres, un ange mystérieux ou bon démon, protecteur de l'Égypte. Quelques-uns l'appellent le ciel, parce que son symbole est l'image du monde. En effet, les hiérogrammates égyptiens, voulant désigner le monde sur les obélisques, en caractères sacrés, y figurent le serpent Ouroboros.

Agathodémon est souvent cité comme un auteur réel par nos alchimistes. Sous le nom d'Agathodémon, nous possédons même l'énigme de la Sibylle, ainsi qu'un commentaire adressé à Osiris et relatif au vieil oracle d'Orphée, c'est-à-dire à un autre apocryphe du IIe siècle, en honneur chez les gnostiques. L'auteur y parle de l'art de blanchir et de jaunir les métaux, ce qui veut dire les changer en argent et en or, ainsi que de diverses recettes alchimiques.

§ 3. — ISIS

Isis est invoquée dans le *Pœmander*, l'un des livres pseudo-hermétiques. Elle jouait un grand rôle dans les cultes religieux de l'époque alexandrine et romaine. Elle apparaît aussi chez les alchimistes.

J'ai déjà parlé de la lettre d'Isis la prophétesse à son fils Horus, à l'occasion du commerce des anges avec les femmes, auxquelles ils révèlent les sciences mystérieuses. On y lit le nom de Typhon (le Set égyptien), et celui de la ville d'Ormanouthi (Hermonthis près de Thèbes), mêlés à toutes sortes d'imaginations gnostiques sur les anges et sur les prophètes du premier firmament ; puis vient un serment d'initiation, où Hermès et Anubis sont associés au rocher de l'Achéron.

Plusieurs de ces noms et cette lettre même sont encore rappelés, dans un procédé de transmutation transcrit plus loin.

Les premiers siècles de notre ère sont féconds en mélanges de ce genre et en livres supposés, surtout dans la région de l'Égypte et de la Syrie, où ont été établies les premières relations entre l'hellénisme et les traditions religieuses de l'Orient.

L'histoire du gnosticisme, celle des hérésies chrétiennes, celle des philosophes mystiques d'Alexandrie, sont pleines de fausses attributions : livre d'Enoch, testament d'Adam, Évangiles apocryphes, etc. ; attributions destinées à rattacher des doctrines modernes à une origine vénérée : — soit pour en augmenter l'autorité, en les mettant sous le nom de contemporains illustres ; — soit pour sauvegarder leurs promoteurs contre la persécution. La proscription des mathématiciens et des Chaldéens à Rome, les massacres commandés par Dioclétien en Égypte, et la destruction par lui des ouvrages alchimiques ne justifiaient que trop de pareilles précautions.

§ 4. — LES ROIS ET LES EMPEREURS

C'est de la même manière, c'est-à-dire par la double intention de garantir l'auteur à des persécutions et de donner de l'autorité aux ouvrages nouveaux, que j'explique les attributions faites de certains livres chimiques à des rois et à des empereurs.

Déjà les anciens Égyptiens mettaient les ouvrages modernes sous le nom de leurs vieux rois. Le Livre mystique de Zosime est placé sous le patronage de Sophé, autrement dit Chéops.

Non seulement, les copistes ont assigné à certains alchimistes des titres fictifs, tels que celui de roi d'Arménie, ajouté au nom de Petasius dans la suscription de certains traités, ou celui de reine d'Égypte, imputé à Cléopâtre la savante : ce qui rappelle le titre de roi de l'Inde assigné à Geber dans les traités arabes ; mais la fraude ou l'erreur ont mis certains traités sous le nom d'Alexandre. Ceci a lieu, par exemple dans une table ancienne placée en tête du manuscrit de Saint-Marc, et dans le *Kitab-al-Fihrist*. D'autres livres sont prétendus composés par l'empereur Héraclius[3] et par l'empereur Justinien. Mais aucun de ces derniers traités ne figure dans les ouvrages grecs parvenus réellement jusqu'à nous.

---

1. *Miscell. Berol.* I, 19. Voir Fabricius, *Bibl. græca*, t. XII, p. 696, 1724.
2. Renan, *Histoire des origines du christianisme.*
3. Fol. 2. Le contenu même du ms. ne répond qu'imparfaitement à cette table, qui devait être celle de quelque copie analogue et plus ancienne.

CHAPITRE III – LES ALCHIMISTES PSEUDONYMES

§ 1. — LEUR ÉNUMÉRATION

*A*côté des personnages mythiques, divins ou royaux, donnés comme auteurs des la vieux ouvrages de chimie, il existe toute une série d'autres noms de personnages humains et historiques, sous le patronage apocryphe ou pseudonyme desquels se sont placés les premiers alchimistes : toujours pour accroître la célébrité de leurs ouvrages, ou pour se couvrir de la persécution.

C'est ainsi qu'au moyen âge Albert le Grand, Raymond Lulle, saint Thomas, sont supposés les auteurs de certains traités d'alchimie.

Tels sont les philosophes grecs de l'époque classique, devenus ici pseudonymes ; tels aussi les philosophes grecs de l'époque alexandrine, contemporains de nos auteurs et dont plusieurs sont connus dans l'histoire comme magiciens ; peut-être ont-ils été aussi des alchimistes. Tels sont encore Démocrite et Ostanès, réputés les promoteurs de la magie et de l'alchimie, d'après des traditions fort anciennes. Ostanès se rattache d'ailleurs aux origines chaldéennes. Je dirai aussi quelques mots des pseudonymes juifs, Moïse, Marie et Cléopâtre, et je terminerai par l'énumération des Égyptiens cités dans les plus anciens textes, soit comme alchimistes, soit comme astrologues, tels que Chymès, éponyme de la chimie, Pétésis, Pétosiris, Pammenès et Pauseris. Leur personnalité est douteuse ; cependant, plusieurs pourraient être également rangés parmi les écrivains historiques.

§ 2. — LES PHILOSOPHES GRECS

Un grand nombre de philosophes grecs sont nommés dans les listes alchimistes, et tout d'abord les deux grands maîtres de la philosophie antique Platon et Aristote. Nous trouvons aussi dans la liste du manuscrit de Saint-Marc les noms des auteurs des écoles ionienne et italiote : Thalès, Héraclite, Xénocrate, Diogène, Hippasus, Démocrite. Ces noms se rattachent à la doctrine des quatre Éléments, continuellement invoquée par les alchimistes. Au contraire, les écoles Épicurienne et Stoïcienne, circonstance étrange, semblent inconnues de nos auteurs, et l'on n'y lit rien, en particulier, qui soit relatif aux théories de la vieille école Atomique[1]. Aucun auteur latin ne figure non plus dans ces listes.

Au moyen âge, les philosophes grecs font également partie des alchimistes. Ainsi dans la *Turba philosophorum*, ouvrage d'une basse époque, on voit les noms de Pythagore, d'Anaxagore, de Parménide, de Socrate, de Zénon, de Platon, associés avec Bélus, avec Pandolfus et d'autres noms barbares. Chacun de ces philosophes y vient débiter quelques sentences, qui n'ont aucun rapport avec ses doctrines connues par l'histoire. La *Turba* se rattache peut-être à un petit traité de nos manuscrits, ayant pour titre l'*Assemblée des Philosophes*. Cependant, la composition de ce dernier est toute différente.

Aristote est cité formellement et à plusieurs reprises, par les auteurs alchimiques, qui semblent en avoir eu une connaissance réelle. « Il y a quatre causes, d'après le naturaliste Aristote, pour tout ce qui est générique », dit le manuscrit 2.327, fol. 110.

Quoi qu'il en soit de ce point, Platon et Aristote sont mis en tête de la liste des alchimistes œcuméniques, sans qu'aucun ouvrage leur soit assigné.

Platon, Aristote, Pythagore, ont été aussi comptés de bonne heure parmi les magiciens, toujours à cause de leur grande autorité scientifique. Au moyen âge, on leur attribua formellement des traités d'alchimie, rattachés à l'Égypte par un dernier souvenir traditionnel. *De secretiori Ægyptiorum philosophia* : tel est en effet le titre de certains ouvrages d'alchimie, donnés comme de Platon et d'Aristote par les Arabes. Mais ces traités, que l'on peut lire imprimés dans le *Theatrum chemicum*, sont des œuvres arabes, sans racine antérieure.

Un des ouvrages latins du pseudo-Aristote, reproduit dans le *Theatrum chemicum*[2], offre une physionomie singulière et plus ancienne. Il ne s'en réfère pas aux Arabes, du moins quant au fond des doctrines. Il cite, non seulement le nom d'Alexandre, —ce qui n'a rien de surprenant,— mais celui du roi Antiochus, et il parle sans cesse du Serpent, dans des termes qui rappellent étrangement l'Ouroboros et son rôle chez les gnostiques. Les quatre roues du char qui le supporte sont assimilées aux quatre éléments, comme les quatre pieds du dragon des alchimistes les plus anciens. Peut-être y a-t-il là quelque débris d'un traité contemporain des nôtres.

Les philosophes alexandrins touchent de plus près aux alchimistes. Non seulement ils étaient contemporains ; mais ils s'occupaient de connaissances congénères, l'astrologie et la magie. Aussi s'explique-t-on la présence du nom de Porphyre dans la liste ; aucun écrit n'existe sous son nom dans les manuscrits. Au contraire, le nom de Jamblique, philosophe alexandrin qui a été le grand maître des magiciens, figure dans nos manuscrits comme celui de l'auteur, peut-être authentique, de deux procédés de transmutation. La parenté des diverses sciences occultes, magie et alchimie, je le répète, se maintient donc ici.

Une indication non moins significative peut être tirée du nom de l'empereur Julien, qui figure au bas du fol.242 : « Ainsi fut accompli le précepte de l'empereur Julien. » Le nom de l'empereur Julien est remarquable. On sait quelles relations il entretint avec les magiciens disciples de Jamblique et comment il se livra lui-même aux pratiques théurgiques ; on sait d'autre part que son nom, maudit par les chrétiens, disparut presque aussitôt de l'histoire. Son autorité ne put guère être invoquée que par des païens contemporains, affiliés à la même école magique et philosophique.

Une série de pseudonymes très intéressante, en raison des écrits qu'elle renferme, est celle des apocryphes proprement dits : je veux parler des traités écrits, figurant dans la collection et attribués à des personnages historiques, ou crus tels, en raison de quelque analogie d'école ou de tradition secrète. Peut-être aussi étaient-ce des noms conventionnels, que les initiés se donnaient les uns aux autres dans leurs réunions secrètes. Tels sont notamment Démocrite et Ostanès le Mède.

§ 3. — DÉMOCRITE

Démocrite et les traditions qui s'y rattachent jouent un rôle capital dans l'histoire des origines de l'alchimie. En effet, par les livres venus jusqu'à nous et qui contiennent des recettes et des formules pratiques, l'ouvrage le plus ancien de tous, celui que les auteurs ayant quelque autorité historique citent, et qui n'en cite aucun, c'est celui de Démocrite, intitulé *Physica et Mystica*. Cet ouvrage est pseudonyme, je n'ai pas besoin de le répéter ; mais il se rattache à l'œuvre authentique de Démocrite par des liens faciles à entrevoir.

Assurément, les historiens de la philosophie antique ont le droit et le devoir de n'admettre que des livres incontestables, lorsqu'il s'agit d'établir ce que Démocrite a réellement écrit. Mais ce n'est pas là une raison suffisante pour écarter le reste du domaine de l'histoire et pour refuser d'en établir l'époque et la filiation. En effet, les ouvrages des imitateurs, même pseudonymes, de Démocrite ont leur date et leur caractère propre. Ces ouvrages sont anciens, eux aussi, et ils répondent à un certain degré de l'évolution incessante des croyances humaines, des doctrines philosophiques et des connaissances positives. Les livres magiques et naturalistes que l'on attribuait à Démocrite, au temps de Pline et de Columelle, feraient tache dans la vie du grand philosophe rationaliste ; mais ils avaient pourtant la prétention de relever de son inspiration. Ils ont concouru à l'éducation mystique et pratique de plusieurs générations d'hommes ; ils se rattachent en outre de la façon la plus directe à l'histoire des origines de l'une des sciences fondamentales de notre temps, la chimie.

Avant de parler de cet ordre d'ouvrages et de tâcher de retrouver les noms véritables de quelques-uns des auteurs de ces traités pseudo-démocritains, cherchons d'abord quel lien ils peuvent offrir avec les événements véritables de la vie du philosophe et les œuvres qu'il a réellement composées.

Démocrite d'Abdère, mort vers l'an 357 avant l'ère chrétienne, est un des philosophes grecs les plus célèbres et les moins connus, du moins par ses œuvres authentiques. C'était un rationaliste et un esprit puissant. Il avait écrit avant Aristote, qui le cite fréquemment, sur toutes les branches des connaissances humaines et il avait composé divers ouvrages relatifs aux sciences naturelles, comme Diogène Laerce, son biographe, nous l'apprend. C'est le fondateur de l'école atomistique, reprise ensuite par Épicure, école qui a eu tant d'adeptes dans l'antiquité et qui a fait de nouveau fortune parmi les chimistes modernes.

Démocrite avait voyagé en Égypte, en Chaldée et dans diverses régions de l'Orient et il avait été initié aux connaissances théoriques et peut-être aussi aux arts pratiques de ces contrées.

Ces voyages étaient de tradition parmi les premiers philosophes grecs, qui avaient coutume de compléter ainsi leur éducation. Les voyages d'Hérodote sont certains et racontés par lui-même. La tradition nous a transmis le souvenir de ceux de Platon, de Pythagore et de Démocrite. Les derniers en particulier sont attestés par toute l'antiquité. Diogène Laerce les signale, et cela, paraît-il, d'après Antisthènes, auteur presque contemporain de Démocrite ; lequel rapportait que Démocrite apprit des prêtres la géométrie et visita l'Égypte, la Perse et la mer Rouge. Cicéron[3] et Strabon, parlent de ces voyages. D'après Diodore, Démocrite séjourna cinq ans en Égypte. Clément d'Alexandrie, dans un passage dont une partie, d'après Mullach, aurait été empruntée à Démocrite lui-même, dit également qu'il alla en Babylone, en Perse, en Égypte et qu'il étudia sous les mages et les prêtres. Aussi lui attribuait-on certains ouvrages sur les écritures sacrées des Chaldéens et sur celles de Méroé.

Si j'insiste sur les voyages et sur l'éducation de Démocrite, c'est que ces récits, qui semblent authentiques, changent de physionomie dans Pline l'ancien. Pline est le premier auteur qui ait transformé le caractère du philosophe rationaliste, et qui lui ait attribué cette qualité de magicien, demeurée dès lors attachée à son nom pendant tout le moyen âge.

Ainsi Pline fait de Démocrite, le père de la magie, et il prélude aux histoires de Synésius et de Georges le Syncelle, d'après lesquelles Démocrite aurait été initié à l'alchimie par les prêtres égyptiens et par Ostanès le mage.

On rencontre le même mélange de traditions, les unes authentiques, les autres apocryphes, dans l'étude des ouvrages de Démocrite.

Les œuvres de Démocrite et de son école formaient dans l'antiquité une sorte d'encyclopédie philosophique et scientifique, analogue à l'ensemble des traités qui portent le nom d'Aristote. Elle fut réunie et classée en tétralogies par le grammairien Thrasylle, du temps de Tibère. Malheureusement, ces livres sont aujourd'hui perdus, à l'exception de divers fragments récoltés çà et là et réunis d'abord par M. Franck, en 1836, puis par Mullach.

Mullach, avec une critique sévère, a fait la part des œuvres authentiques dans sa collection, et il a soigneusement écarté tout ce qui lui a paru pseudonyme ou apocryphe. Toutefois, une séparation absolue entre les deux ordres d'écrits mis sous le nom de Démocrite est peut-être impossible, à cause des imitations et des interpolations successives ; surtout en ce qui touche les ouvrages d'histoire naturelle et d'agriculture, si souvent cités par Pline et ses contemporains et dont les geoponica nous ont conservé des débris fort étendus.

Diogène Laerce attribue à Démocrite des traités sur le suc des plantes (cités aussi par Pétrone), sur les pierres, les minéraux, les couleurs, les métaux, la teinture du verre, etc. Sénèque dit encore que Démocrite avait découvert les procédés suivis de son temps pour amollir l'ivoire, préparer l'émeraude artificielle, colorer les matières vitrifiées. Ceci rappelle les quatre livres sur la teinture de l'or, de l'argent, des pierres et de la pourpre, assignés plus tard par Synésius et par Georges le Syncelle à Démocrite. Olympiodore, auteur alchimiste du IVe siècle, parle encore des quatre livres de Démocrite sur les éléments : le feu et ce qui en vient ; l'air, les animaux et ce qui en vient ; l'eau, les poissons et ce qui en vient ; la terre, les sels, les métaux, les plantes et ce qui en vient, etc. Tout cela semble se rapporter à des traités antiques.

Le départ rigoureux entre les œuvres authentiques et les ouvrages des disciples et des imitateurs de Démocrite, qui se sont succédé pendant cinq ou six siècles, est aujourd'hui, je le répète, difficile ; surtout en l'absence d'ouvrages complets et absolument certains. Cependant, ces ouvrages, même pseudonymes, semblent renfermer parfois des fragments de livres plus anciens. Leur ensemble est d'ailleurs intéressant, comme portant le cachet du temps où ils ont été écrits, au double point de vue des doctrines mystiques ou philosophiques et des connaissances positives.

J'ai retrouvé récemment dans les manuscrits alchimiques et publié un fragment sur la teinture en pourpre par voie végétale, fragment qui semble avoir appartenu à la collection des œuvres de Démocrite ; je veux dire aux ouvrages cités par Diogène Laerce, Pétrone et Senèque. Les sujets que ceux-ci traitaient, notamment l'étude de la teinture des verres et émaux, nous expliquent comment les premiers alchimistes, empressés à se cacher sous l'égide d'un précurseur autorisé, ont donné le nom de Démocrite à leur traité fondamental, *Physica et Mystica*.

Celui-ci est un assemblage incohérent de plusieurs morceaux d'origine différente. Il débute, sans préambule, par un procédé technique pour teindre en pourpre ; c'est celui que j'ai traduit : ce fragment, dont le caractère est purement technique, n'a aucun lien avec le reste. Les manuscrits renferment à la suite une évocation des enfers du maître de Démocrite (Ostanès), puis des recettes alchimiques.

Donnons quelques détails sur ces diverses parties.

Le second fragment (*évocation magique*) rapporte que le maître étant mort, sans avoir eu le temps d'initier Démocrite aux mystères de la science, ce dernier l'évoqua du sein des enfers : « Voilà donc la récompense de ce que j'ai fait pour toi », s'écrie l'apparition. Aux questions de Démocrite, elle répond : « Les livres sont dans le temple. » Néanmoins, on ne réussit pas à les trouver. Quelque temps après, pendant un festin, on vit une des colonnes du temple s'entr'ouvrir ; on y aperçut les livres du maître, lesquels renfermaient seulement les trois axiomes mystiques : « La nature se plaît dans la nature ; la nature triomphe de la nature ; la nature domine la nature ; » axiomes qui reparaissent ensuite comme un refrain, à la fin de chacun des paragraphes de l'opuscule alchimique proprement dit. Ce récit fantastique a été reproduit plus d'une fois au moyen âge, sous des noms différents, et attribué à divers maîtres célèbres. L'évocation elle-même tranche par son caractère avec la première et la dernière parties, où rien d'analogue ne se retrouve. Cependant, elle rappelle le titre d'un ouvrage *Sur les enfers*, attribué à Démocrite et dont le vrai caractère est incertain. Peut-être aussi faut-il y chercher quelque ressouvenir des idées du vrai Démocrite sur les fantômes et sur les songes, auxquels il supposait une existence réelle. Nous trouvons des idées toutes pareilles dans Épicure et dans Lucrèce, qui attribuaient aux images sorties des corps une certaine réalité substantielle, analogue à celle de la mue des serpents.

On conçoit que de telles théories conduisaient aisément à des imaginations pareilles à celles des spirites de nos jours.

Quoi qu'il en soit, le récit de l'évocation que je viens de rappeler nous ramène aux ouvrages magiques apocryphes, que l'on attribuait déjà à Démocrite du temps de Pline ; je ne serais pas surpris qu'elle en fût même tirée. Nous aurions alors ici trois ordres de morceaux de date différente : la partie alchimique, apocryphe et la plus récente, mais antérieure au IVe siècle de notre ère ; la partie magique, également apocryphe, mais précédant Pline ; et la partie technique, peut-être la plus ancienne, se rattachant seule à Démocrite, ou plutôt à son école. Cette association, par les copistes, de fragments d'époques différentes n'est pas rare dans les manuscrits. En tout cas, elle a lieu dans quatre manuscrits de la Bibliothèque nationale, lesquels semblent provenir d'une source commune. Elle existe aussi dans le manuscrit de saint Marc, qui remonte au XIe siècle.

Certes, il est étrange de voir ainsi un homme tel que Démocrite, doué d'une incrédulité inflexible vis-à-vis des miracles, d'après Lucien, un philosophe naturaliste et libre penseur par excellence, métamorphosé en magicien et en alchimiste !

Pline raconte, en effet, que Démocrite fut instruit dans la magie par Ostanès ; il revient à plusieurs reprises sur ses relations avec les mages. Solin parle au contraire de ses discussions contre eux. D'après Pline, Démocrite viola le tombeau de Dardanus, pour retirer les livres magiques qui y étaient ensevelis, et il composa lui-même des ouvrages magiques. Cependant, Pline ajoute que plusieurs tiennent ces derniers pour apocryphes.

L'usage d'enfermer des manuscrits dans les tombeaux rappelle les papyrus que nous trouvons aujourd'hui avec les momies et qui nous ont conservé tant de précieux renseignements sur l'antiquité. On a fait souvent des récits analogues de tombeaux violés pour en tirer les livres des maîtres, dans les légendes du moyen âge, et déjà dans celles de la vieille Égypte. Elles n'étaient pas sans quelque fondement. C'est précisément un tombeau de Thèbes, sans doute celui d'un magicien, qui nous a restitué les papyrus de la collection Anastasi, aujourd'hui à Leide.

Or ces derniers papyrus montrent que la transformation de Démocrite en magicien n'est pas attestée seulement par Pline et par les manuscrits alchimiques de nos bibliothèques. Le nom de Démocrite se trouve à deux reprises dans le rituel magique des papyrus de Leide, papyrus qui renferment à la fois des recettes magiques et des recettes alchimiques. On rencontre aussi dans ces papyrus, sous le titre de Sphère de Démocrite, une table en chiffres destinée à pronostiquer la vie ou la mort d'un malade ; table toute pareille aux tables d'Hermès et de Petosiris qui existent dans les manuscrits des bibliothèques. Tout cela, je le répète, montre que les traditions attachées au nom de Démocrite en Égypte, à l'époque des premiers siècles de l'ère chrétienne, avaient le même caractère que dans nos manuscrits. Ajoutons, comme dernier trait commun, que dans le papyrus n° 66 de Leide, les procédés de teinture en pourpre, les recettes métallurgiques, les recettes de transmutation et les recettes magiques se trouvent pareillement associées.

Or ces divers ordres de procédés se lisent ensemble dans l'opuscule du pseudoDémocrite, opuscule traduit ou plutôt paraphrasé en latin, d'après un manuscrit analogue aux nôtres, et publié à Padoue, par Pizzimenti, en 1573, sous le titre de Démocriti Abderitæ de Arte Magnâ, avec les commentaires de Synésius, de Pélage et de Stéphanus d'Alexandrie. Je l'ai analysé plus haut.

Mullach regarde à tort cet opuscule comme distinct des Physica et Mystica ; je me suis assuré qu'il n'existe entre eux d'autre différence que l'absence des deux morceaux relatifs à la teinture en pourpre et à l'évocation magique. Ceux-ci semblent avoir été ajoutés en tête par quelque copiste, d'après la seule analogie du nom de l'auteur, réel ou prétendu, et peut-être aussi d'après l'analogie des sujets (Teinture en pourpre et teinture des métaux). Le manuscrit de Saint-Marc (fol. 2) distingue, en effet, les deux sujets, dans une table des matières plus vieille que ce manuscrit.

Il existe un autre traité du pseudo-Démocrite, traité dédié à Leucippe, philosophe qui fut en effet le maître et l'ami de Démocrite. « Je me servirai d'énigmes, mais elles ne t'arrêteront pas, toi médecin qui sais tout. » C'est le style des apocryphes.

La *Lettre de Démocrite à Philarète*, autre ouvrage du même écrivain, commence par une liste de corps. « Voici le catalogue des espèces : le mercure tiré de l'œuf, la magnésie, l'antimoine, la litharge de Calcédoine et d'Italie, le plomb, l'étain, le fer, le cuivre, la soudure d'or, etc. » Puis vient l'art mystérieux des teintures métalliques.

L'exposé ci-dessus concorde avec les autres auteurs. En effet, d'après Synésius, reproduit par Georges le Syncelle, Démocrite avait écrit quatre livres de teintures sur l'or, l'argent, les pierres et la pourpre : ce qui rappelle à la fois la lettre précédente et le passage de Sénèque. Synésius dit encore que Démocrite avait dressé un catalogue du blanc et du jaune. « Il y enregistra d'abord les solides, puis les liquides. Il appela le catalogue de l'or, c'est-à-dire du jaune : Chrysopée, ou l'art de faire de l'or ; et le catalogue de l'argent, c'est-à-dire celui du blanc : Argyropée, ou l'art de faire de l'argent. »

Tous ces commentaires montrent quel intérêt on attachait aux recettes du pseudo-Démocrite et permettent de les faire remonter en deçà de la fin du IVe siècle de notre ère, peut-être même beaucoup plus haut.

Attachons-nous d'abord à l'autorité de Synésius : il adresse son commentaire sur Démocrite à Dioscorus, prêtre de Sérapis à Alexandrie ; dédicace conforme à l'opinion qui identifie l'alchimiste et l'évêque de Ptolémaïs, lequel a vécu à la fin du IVe siècle. Son ouvrage doit avoir été écrit avant l'an 389, date de la destruction du temple de Sérapis à Alexandrie. En outre, il cite Zosime le Panopolitain comme un auteur très ancien ; ce qui reporterait celui-ci au moins au temps de Constantin ou de Dioclétien ; peut-être plus loin encore. Le langage gnostique de Zosime est en effet celui des auteurs de la fin du IIe siècle et du commencement du IIIe.

Or, le pseudo-Démocrite est déjà une autorité pour Zosime. Tâchons d'aller plus avant. Les auteurs anciens signalent certains écrits ou mémoires sur la nature, fabriqués par un Égyptien, Bolus de Mendès, et attribués à tort à Démocrite. Ces mémoires étaient appelés *Chirocmeta*, c'est-à-dire manipulations, nom qui a été aussi donné aux écrits de Zosime. Pline, qui croit les mémoires de Démocrite authentiques, déclare qu'ils sont remplis du récit de choses prodigieuses. Peut-être Démocrite avait-il réellement composé des traités de ce genre, auxquels on a réuni ensuite ceux de ses imitateurs. Un autre ouvrage sur « les sympathies et les antipathies » est assigné tantôt à Démocrite par Columelle, tantôt à Bolus par Suidas. Ce livre a été publié par Fabricius dans sa *Bibliothèque grecque* : c'est un amas de contes et d'enfantillages ; mais Pline est rempli de recettes et de récits analogues.

Aulu-Gelle dit formellement que des auteurs sans instruction ont mis leurs ouvrages sous le nom de Démocrite, afin de s'autoriser de son illustration. Cependant, il n'est pas prouvé que Bolus ait commis sciemment cette fraude. Il semble plutôt s'être déclaré de l'école de Démocrite, suivant un usage très répandu autrefois. Peut-être prenait-il le nom de Démocrite dans les cérémonies secrètes des initiés. Stéphanus de Byzance, à l'article *Apsinthios*, parle en effet de Bolus le Démocritain ; de même les *Scholia Nicandri ad Theriaca*. Dans Suidas et dans le *Violarium* de l'impératrice Eudocie, autre recueil byzantin, il est question de Bolus le Pythagoricien, qui avait écrit sur les merveilles, sur les puissances naturelles, sur les sympathies et les antipathies, sur les pierres, etc. Bolus est tout au moins contemporain de l'ère chrétienne, sinon plus ancien. C'est à quelque ouvrage de l'ordre des siens que semblent devoir être rapportées les recettes agricoles, vétérinaires et autres, attribuées à Démocrite le naturaliste dans les *Geoponica*, recueil byzantin de recettes et de faits relatifs à l'agriculture. Quelques-uns de ces énoncés se ressentent même des influences juives ou gnostiques ; par exemple celui-ci : « d'après Démocrite, aucun serpent n'entrera dans un pigeonnier, si l'on inscrit aux quatre angles le nom d'Adam. »

Bolus n'était pas le seul auteur de l'école démocritaine, ou pseudo-démocritaine. Nous trouvons aussi dans les manuscrits alchimiques l'indication des *Mémoires démocritains* de Pétésis, autre Égyptien. Le livre de Sophé l'Égyptien, c'est-à-dire du vieux roi Chéops, est attribué tantôt à Zosime, tantôt à Démocrite.

Cela montre qu'il existait en Égypte, vers le commencement de l'ère chrétienne, toute une série de traités naturalistes, groupés autour du nom et de la tradition de Démocrite.

Cette littérature pseudo-démocritaine, rattachée à tort ou à raison à l'autorité du grand philosophe naturaliste, est fort importante : car c'est l'une des voies par lesquelles les traditions, en partie réelles, en partie chimériques, des sciences occultes et des pratiques industrielles de la vieille Égypte et de Babylone ont été conservées. Sur ces racines équivoques de l'astrologie et de l'alchimie se sont élevées plus tard les sciences positives dont nous sommes si fiers : la connaissance de leurs origines réelles n'en offre que plus d'intérêt pour l'histoire du développement de l'esprit humain.

En fait, je le répète, c'est à cette tradition que se rattachent les alchimistes, aussi bien que les papyrus de Leide. Il est possible que les œuvres magiques dont parle Pline continssent déjà des récits et des recettes alchimiques, pareilles à celles des *Physica et Mystica* : à supposer que ce dernier ouvrage n'en provienne pas directement.

Le langage même prêté à Démocrite l'alchimiste, est parfois celui d'un charlatan, parfois celui d'un philosophe : peut-être en raison du mélange des ouvrages authentiques et apocryphes. Tantôt, en effet, il déclare :

« Il ne faut pas croire que ce soit par quelque sympathie naturelle que l'aimant attire le fer... mais cela résulte des propriétés physiques des corps. » Tantôt au contraire, Démocrite s'adressant au roi, dit : « Il faut, ô roi, savoir ceci : nous sommes les chefs, les prêtres et les prophètes ; celui qui n'a pas connu les substances et ne les a pas combinées et n'a pas compris les espèces et joint les genres aux genres, travaillera en vain et ses peines seront inutiles ; parce que les natures se plaisent entre elles, se réjouissent entre elles, se corrompent entre elles, se transforment entre elles et se régénèrent entre elles. »

Il existe dans les manuscrits une page célèbre qui expose les vertus du philosophe, c'est-à-dire de l'initié. Or, cette prescription est attribuée par Cedrenus à Démocrite, et il ajoute que celui qui possède ces vertus, comprendra l'énigme de la Sibylle, allusion directe à l'un des traités alchimiques.

Ailleurs, Démocrite l'alchimiste fait appel, non dans quelque naïveté, à ses vieux compagnons de travail contre le scepticisme de la jeunesse. « Vous donc, ô mes co-prophètes, vous avez confiance et vous connaissez la puissance de la matière ; tandis que les jeunes gens ne se fient pas à ce qui est écrit : ils croient que notre langage est fabuleux et non symbolique. » Il parle ensuite de la teinture superficielle des métaux et de leur teinture profonde, de celle que le feu dissipe et de celle qui y résiste, etc. : ce qui répond en effet à des notions réelles et scientifiques.

Quant aux recettes alchimiques elles-mêmes du pseudo-Démocrite, on y entrevoit diverses expériences véritables, associées avec des résultats chimériques. Tel est le texte suivant :

« Prenez du mercure, fixez-le avec le corps de la magnésie, ou avec le corps du stibium d'Italie, ou avec le soufre qui n'a pas passé par le feu, ou avec l'aphroselinum, ou la chaux vive, ou l'alun de Mélos, ou l'arsenic, ou comme il vous plaira, et jetez la poudre blanche sur le cuivre ; alors vous aurez du cuivre qui aura perdu sa couleur sombre. Versez la poudre rouge sur l'argent, vous aurez de l'or ; si c'est sur l'or que vous la jetez, vous aurez le corail d'or corporifié. La sandaraque produit cette poudre jaune, de même que l'arsenic bien préparé, ainsi que le cinabre, après qu'il a été tout à fait changé. Le mercure seul peut enlever au cuivre sa couleur sombre. La nature triomphe de la nature. »

Il n'est guère possible d'interpréter aujourd'hui ce texte avec précision : d'abord parce que les mots mercure, arsenic, soufre, magnésie, ne présentaient pour les alchimistes ni le sens positif, ni le sens précis qu'ils ont pour nous ; chacun d'eux désignait en réalité des matières diverses, ayant dans l'opinion des auteurs du temps une essence commune.

Cette notion est analogue aux idées des Égyptiens sur la nature des métaux.

L'intérêt d'une semblable étude est d'ailleurs limité. En effet, les opérations qu'effectuaient les alchimistes sont connues par leurs descriptions ; ces opérations ne diffèrent pas des nôtres et portent sur les mêmes substances. Or, tous les résultats positifs des dissolutions, distillations, calcinations, coupellations, etc., auxquelles ils se livraient sont aujourd'hui parfaitement éclaircis : nous savons que la transmutation tant rêvée ne s'y produit jamais. Il est donc inutile d'en rechercher la formule exacte dans les recettes du pseudo-Démocrite, de Sosime ou de leurs successeurs. Il semble d'ailleurs que ces auteurs laissassent toujours quelque portion obscure, destinée à être communiquée seulement de vive voix. C'est ce qu'indique la fin du pseudo-Démocrite. « Voilà tout ce qu'il faut pour l'or et l'argent ; rien n'est oublié, rien n'y manque, excepté la vapeur et l'évaporation de l'eau : je les ai omises à dessein, les ayant exposées pleinement dans mes autres écrits. » Je dirai cependant que l'on entrevoit dans les descriptions du traité

Physica et Mystica, deux poudres de projection, propres à fabriquer l'or et l'argent. On y cite aussi le corail d'or, autrement dit teinture d'or, qui était réputé communiquer aux métaux la nature de l'or : c'était pour les alchimistes le chef-d'œuvre de leur art.

§ 4. — OSTANÈS ET LES CHALDÉENS

Ostanès est réputé le maître et l'initiateur de Démocrite ; leurs noms sont associés, aussi bien dans Pline et dans les papyrus de Leide que dans les manuscrits de nos Bibliothèques. Il mérite de nous arrêter.

Au nom d'Ostanès le Mède, ou le Mage, se rattachent en effet, d'é-tranges légendes. Hérodote[4], parle d'un Perse de ce nom, père d'Amestris, épouse de Xerxès, lequel accompagnait ce prince dans son expédition en Grèce. C'est à lui que se sont reliées plus tard les traditions des magiciens, au commencement de l'ère chrétienne. Pline raconte[5] que cet Ostanès, venu en Grèce avec Xerxès, était un magicien qui enseigna la science à Démocrite. Un second Ostanès aurait vécu au temps d'Alexandre. Le nom d'Ostanès aurait même été employé comme une sorte de dénomination générique parmi les mages. Ce nom est fréquemment rappelé, comme celui d'un magicien, par les auteurs des IIe et IIIe siècles, tant païens que chrétiens. Origène parle du mage Ostanès ; Tertullien le cite[6] ; de même saint Cyprien[7], Arnobe[8], Minutius Félix, Tatien[9], saint Augustin[10], etc. Nicomaque de Gerasa, auteur des Theologumenon arithmetices[11] nomme aussi Ostanès le Babylonien à côté de Zoroastre. C'était donc un auteur réputé très autorisé. Aussi ne devons-nous pas être surpris de le trouver invoqué plusieurs fois par les papyrus de Leide, qui le rapprochent de Démocrite : par exemple dans le rituel magique du n° 75, décrit par Reuvens[12].

C'est précisément à ces traditions d'Ostanès le Mage et de Démocrite, les maîtres des sciences occultes, que se réfèrent les plus anciens alchimistes auxquels il soit permis d'attribuer un caractère tout à fait historique, tels que Zosime le Panopolitain, Synésius, Olympiodore. Synésius, par exemple, dans un passage que le Syncelle, auteur du VIIIe siècle, reproduit en partie[13], rapporte que le philosophe Démocrite, pendant son voyage en Égypte, fut initié dans le temple de Memphis par le grand Ostanès, avec tous les prêtres de l'Égypte. Nous retrouvons ainsi dès la fin du IVe siècle, le souvenir du voyage de Démocrite en Égypte, associé à son initiation, réelle ou prétendue, et à ses connaissances sur les sciences occultes.

Synésius ajoute que Démocrite écrivit à cette occasion ses quatre livres sur la teinture de l'or, de l'argent, des pierres et de la pourpre. Ostanès, dit-il encore, en fut le promoteur, car il mit le premier par écrit les axiomes : « La nature se plaît dans la nature ; la nature domine la nature ; la nature triomphe de la nature, etc. » Ostanès, toujours d'après son disciple, n'employait pas les procédés des Égyptiens, c'est-à-dire les injections et les évaporations ; il teignait les substances du dehors et recourait à la voie ignée, suivant l'habitude des Perses. Ce dernier passage indique quelque opposition entre les méthodes suivies en Égypte dans l'art sacré et celles qui seraient venues de Perse, c'est-à-dire de la Chaldée et de Babylone.

Zosime cite Ostanès comme un très ancien auteur, et parle de son exposition sur l'aigle. Reproduisons-en quelques phrases, afin de donner une idée du langage énigmatique de ces vieux écrivains. D'après Zosime, Ostanès dit : « Va vers le courant du Nil, tu trouveras là une pierre, ayant un esprit ; prends-la, coupe-la en deux, mets ta main dans l'intérieur, et tires-en le cœur, car son âme est dans son cœur. »

Ces allégories singulières semblent se rattacher à la pierre philosophale et au mercure des philosophes.

Il existe un traité apocryphe attribué à Ostanès, où l'on peut noter l'indication d'une eau divine, douée de propriétés merveilleuses : « Elle guérit toutes les maladies ; par elle les yeux des aveugles voient, les oreilles des sourds entendent, les muets parlent. Voici la préparation de l'eau divine. Cette eau ressuscite les morts et tue les vivants ; elle éclaircit les ténèbres et assombrit la lumière, etc.» La Panacée universelle, qui joua un si grand rôle au moyen âge, qui apparaît ainsi dès les origines grecques de l'alchimie. Elle serait de source chaldéenne, c'est-à-dire babylonienne.

La tradition chaldéenne est attestée encore en alchimie par d'autres noms, de caractère non douteux. Tel est celui de Sophar le Persan, le divin Sophar, cité par Zosime à diverses reprises : c'était un auteur autorisé pour lui. Le nom même de Sophar reparaît au moyen âge, sous la forme d'un roi d'Égypte, inventeur d'une teinture propre à changer les métaux en or, et sous celui de Sopholat, roi païen ayant inventé un arcane qui lui permit de vivre trois cents ans. Mais ce sont là des contes arabes. Aucun traité n'est attribué à Sophar dans notre recueil.

Zoroastre, qui s'y trouve aussi rappelé, représente pareillement un souvenir de la Perse ou de la Chaldée. Il s'agit ici, bien entendu, non du prophète mythique iranien, mais d'un apocryphe, qui en avait pris le nom, lequel est cité par Porphyre et les Alexandrins et désigné par Suidas comme ayant composé des livres sur les pierres précieuses et sur l'astrologie. Il avait aussi écrit sur la médecine. Les *Geoponica*, collection byzantine d'extraits des auteurs du IIe et IIIe siècle sur l'agriculture, en donnent des fragments. On y parle encore d'un traité de Zoroastre sur *les sympathies et antipathies naturelles*, titre fort en honneur vers le IIIe siècle et que nous trouvons également assigné à un traité de Bolus, le pseudo-Démocrite, et à un traité d'Anatolius. Ces derniers livres sont parvenus jusqu'à nous.

§ 5. — LES ALCHIMISTES ÉGYPTIENS

Les manuscrits invoquent toute une série de vieux maîtres, se rattachant à l'Égypte par leur nom, et qui semblent être des personnages, les uns mythiques, les autres historiques, représentant la tradition de la science alchimique vers les premiers temps de l'ère chrétienne.

Tel est Chémès ou Chymès, donné comme un auteur réel dans plusieurs endroits. Si ce mot ne doit pas se traduire par «le Chimiste» en général, ce serait peut-être, comme celui d'Hermès, la traduction du nom d'une divinité égyptienne (?), telle que Khenz ou Ammon générateur, symbole de la germination et de la végétation. Il est cité à diverses reprises. Par exemple, le manuscrit 2.327 lui attribue d'avoir énoncé, en suivant l'autorité de Parménide, les axiomes mystiques :

> « *Le tout est un ; par lui le tout est engendré ; un est le tout et si le tout ne contenait pas le tout, il ne pourrait l'engendrer.* »

Ces axiomes sont inscrits autour des cercles magiques et des images du serpent dessinées dans les manuscrits, avec les figures des métaux (ou des planètes) au milieu ; figures qui rappellent d'une manière frappante certains talismans gnostiques, entourés par le serpent Ouroboros et existant dans les Collections de pierres gravées de la Bibliothèque Nationale. Démocrite, Synésius, Olympiodore, Stéphanus, le *Kitab-al-Fihrist* s'en réfèrent également aux ouvrages de Chymès ; mais aucun de ceux-ci ne nous est parvenu.

Epibechius ou *Pébéchius*, très vieil écrivain, porte un nom égyptien mythique, celui de l'épervier *Pe-Bech*, symbole d'Horus. Nous trouvons même une analogie plus complète dans le magicien de Coptos nommé par Pline *Apollo Bechès*, c'est-à-dire Horus l'Épervier.

Petasius, cité comme auteur de Mémoires démocritains et auquel s'adresse Ostanès, est aussi un égyptien : Pétésis, signifie le don d'Isis, Isidore en grec. Ces deux noms se lisent à la fois dans la liste placée en tête du manuscrit de SaintMarc. Il existe deux saints Isidore d'Alexandrie, au IVe siècle.

Un Pétésis figure comme prêtre et magicien, dans les papyrus de Leide.

Le titre de roi d'Arménie a été attribué à cet auteur dans certaines suscriptions, pour augmenter son autorité ; de même que celui du roi de l'Inde, donné à Géber chez les Arabes.

Le nom de Pétésis rappelle un personnage congénère Pétosiris (le don d'Osiris), astrologue et magicien, cité par Aristophane, dans les Danaïdes[14]. Pline[15] et Juvénal[16] en parlent et l'associent à Necepso. Manéthon l'astrologue, Porphyre, le Tetrabiblion de Ptolémée, Vettius Valens et J. Firmicus, autres astrologues du temps des Constantins, invoquent aussi son autorité. Nous possédons même à la Bibliothèque nationale un manuscrit grec relatif à l'astrologie, à la magie et à l'alchimie[17], manuscrit où se trouvent entre autres la lettre de Pétosiris au roi Necepso, laquelle existait peut-être déjà du temps de Pline. On y rencontre aussi l'Organon (instrument) ou sphère de Pétosins, destinée à prévoir l'issue des maladies d'après certaines combinaisons numériques : organon qui rappelle la table d'Hermès du ms. 2.327 et la sphère de Démocrite des papyrus de Leide, construites en vue de la même destination.

Pammėnès est prétendu le précepteur de Démocrite dans l'art de la Chrysopée. George le Syncelle, dans un passage relatif à Démocrite, dit que Pamménès fut blâmé pour s'être exprimé clairement, tandis que les autres alchimistes parlaient en symboles. Ce nom figure aussi dans Tacite, comme celui d'un astrologue frappé de bannissement.

D'après les renseignements que M. Revillout a bien voulu me fournir, Pamménès répond à un nom égyptien bien connu, qui existe sous une forme analogue (*Pamenasis*) dans des papyrus grecs et démotiques bilingues publiés par M.Brugsch, ainsi que dans un enregistrement existant au Louvre (*Pamenasis*). C'était aussi le nom d'une bourgade voisine de Thèbes.

Pauseris ou *Panseris* est nommé dans les listes alchimiques. C'est là encore un nom égyptien. La forme Pauseris nous reporte à la divinité

Osiris, sous l'invocation duquel ce personnage aurait été placé. En tout cas, ce nom est égyptien, aussi bien que les précédents.

§ 6. — LES ALCHIMISTES JUIFS

Une des choses les plus étranges dans cette histoire est le rôle attribué aux Juifs. J'ai rappelé déjà le passage de Zosime, d'après lequel les Juifs seuls eurent connaissance par fraude de l'art sacré, et ils le révélèrent.

Moïse est en tête de la liste initiale du manuscrit de Saint-Marc. Il existait réellement sous son nom un traité de chimie domestique, dont il semble que nous possédions des fragments assez étendus : je me suis étendu sur ce point. De même on lit dans les manuscrits la *diplosis* de Moïse, procédé pour doubler le poids de l'or. Tout ceci se rapporte à des ouvrages pseudonymes fort anciens, contemporains des traités secrets, magiques et astrologiques, attribués aussi à Moïse par les papyrus de Leide. Le labyrinthe de Salomon, dessiné dans le manuscrit de Saint-Marc et dans celui de l'Ambroisienne, atteste la même prétention ; quoiqu'il soit peut-être moins ancien.

Au contraire, c'est aux plus vieilles traditions et au pseudo-Démocrite que se rattache Marie la Juive. Elle est continuellement citée par Zosime et dans nos manuscrits : nous avons même un « Discours de la très sage Marie sur la pierre philosophale. Il y a deux procédés pour jaunir (teindre en or) et deux pour blanchir (teindre en argent), par l'atténuation (dissolution ?) et par la coction ». Ailleurs : « Si tu ne dépouilles les corps de l'état corporel (*asômatosis*), (c'est-à-dire si tu n'enlèves pas aux métaux l'état métallique), tu n'avanceras pas. » Cet axiome était courant parmi les alchimistes ; il est donné aussi comme dû à Hermès et à Agathodémon.

Parmi les phrases attribuées à Marie, je reproduirai encore les suivantes : « Ne le prends pas dans tes mains, c'est le remède igné, il est mortel.» Et ailleurs, ce passage déjà cité : « Ne le touche pas de tes mains. Tu n'es pas de la race d'Abraham, tu n'es pas de notre race. » L'interdiction de toucher la pierre philosophale avec les mains est singulière ; elle rappelle celle de toucher l'or, rapportée dans la vie du prophète égyptien Sénouti, au VIe siècle[18].

Le *Theatrum chemicum*[19] renferme un traité de Marie la prophétesse, sœur d'Aaron (autre titre apocryphe), traduit de l'arabe ; il y est question de la pierre rouge ou *kybric*. Le *Kitab-al-Fihrist* mentionne également ce dernier titre, ainsi que le nom de Marie la Copte. Mais nous ne possédons pas de texte grec correspondant ; quoiqu'on ait attribué à Marie un ouvrage sur les instruments et fourneaux et une chorographie (d'Égypte). Le nom même de l'alchimiste Marie a été conservé dans le langage vulgaire, s'il est vrai, comme le pense Du Cange, que le bain-marie en rappelle le souvenir.

Le nom de Cléopâtre éveille pareillement des souvenirs juifs. En effet, les femmes alchimistes, Marie et Cléopâtre sont associées chez les sectes gnostiques, congénères des juifs. On sait le rôle capital de Marie, mère de Jésus, dans les Évangiles gnostiques[20], ainsi que l'importance acquise par Marie Cléophas, nom identique à celui de Cléopâtre[21]. Les gnostiques ont les premiers fondé la légende de Marie, qui a tant grandi depuis dans l'Église. Or, les documents valentiniens disent que Marie, la mère de Jésus, était arrivée à la perfection dans la gnose, laquelle comprenait alors la magie : nous touchons donc encore ici à l'alchimie. L'art de faire de l'or de Cléopâtre, avec ses cercles concentriques, son serpent, ses axiomes, ses étoiles à huit rayons et ses figures magiques, a été décrit plus haut ; il vient appuyer ces rapprochements.

On connaît sous le nom de Cléopâtre un traité des poids et mesures, reproduit non seulement en tête des manuscrits alchimiques, mais aussi dans les œuvres de Galien ; lequel traité fait autorité parmi les archéologues. Il a été imprimé plusieurs fois, notamment dans le *Thesaurus* d'Henri Estienne. Il y porte un titre singulier : *De munditiis, ponderibus et mensuris*. Le mot *munditiis* rappelle les anathèmes de Tertullien contre la parure des femmes et semble s'appliquer à un ouvrage plus étendu, dont celui que nous possédons serait le débris. Quoi qu'il en soit, il y est question du denier de Judas, ce qui est d'accord avec le caractère gnostique de Cléopâtre. Nous n'avons pas d'autre traité sous son nom ; mais un opuscule est attribué à Comarius, son maître en alchimie. L'auteur arabe IbnWahs-Chijjah parle aussi d'un livre sur les poisons, composé par la reine Cléopâtre[22], lequel semble se rattacher à la même tradition.

---

1. Sauf un mot dans Olympiodore, ms. de Saint-Marc, 167 vo.
2. TomeV, p.792.
3. *Ultimas terras peragratus.*
4. L. VII, ch. lxi.
5. L. XXX, ch. ii.
6. *De Animâ*, ch. lvii.
7. *De Idolorum vanitate.*
8. *Adversus gentes*, l. I.
9. *Oratio contra Græcos.*

10. L. IV. *Contre les Donatistes*.
11. Cité par Photius, *codex* CLXXXVII.
12. Lettres à M. Letronne. Appendice, p. 163 et p. 148.
13. Scaliger regarde le passage de Syncelle comme tiré du chronographe Panodorus, moine égyptien du temps d'Arcadius.
14. Pièce perdue. Athénée, l. iii, 114.
15. L. VII, ch. xlix.
16. 6e satire :
    ... capiendo nulla videtur
    Aptior hora cibo, nisi quam dederit Petosiris...
    Quique magos docuit mysteria vana Necepsos.
17. N° 2419.
18. Révillout, *Revue de l'histoire des Religions*, 4e série, t. VIII, p. 42.
19. T. VI, p. 479.
20. Renan, *Histoire des origines du Christianisme*, tome VII, p. 145.
21. Renan, *Histoire des origines du Christianisme*, tome V, p. 548.
22. Chwolson, *Sur les débris de la vieille littérature Nabathéenne*, p. 129. Note.

CHAPITRE IV – LES ALCHIMISTES GRECS PROPREMENT DITS

§ 1. — LEUR ÉNUMÉRATION

*J*usqu'ici nous avons parlé des personnages mythiques, pseudonymes ou incertains, qui se présentent à l'origine de l'alchimie, comme à celles de toutes les histoires et qui remontent probablement jusqu'au temps de l'ère chrétienne ; peut-être même plus haut. Les vieux Égyptiens, Pammenès, Pétésis, Pétosiris, Pauseris, semblent même avoir vécu : mais leurs écrits sont perdus. Maintenant nous arrivons à des savants sérieux, qui ont laissé pour la plupart des ouvrages signés, offrant certains caractères d'authenticité. Ils sont connus par une tradition continue depuis le Ve siècle. Leurs noms figurent dans les polygraphes byzantins et arabes ; plusieurs d'entre eux ont joué un rôle important dans l'histoire de leur temps.

Tels sont : Zosime, qui avait écrit un ensemble de traités théoriques et pratiques, formant une sorte d'encyclopédie chimique ; Africanus, polygraphe célèbre du IIIe siècle ; Pélage et quelques autres.

Puis viennent les Commentateurs de Démocrite : Synésius, Olympiodore, Stéphanus ; l'un évêque, l'autre ambassadeur, le dernier médecin, tous connus dans l'histoire du IVe au VIIe siècle. Eugénius, cité dans le manuscrit de SaintMarc, est aussi du temps de Théodose.

A la même époque, l'alchimie acquit assez de notoriété pour être célébrée par les poètes : nous en possédons tout un recueil sous les noms que voici : Héliodore, probablement le même que l'évêque de Tricca, Théophraste, Hierothée, Archelaüs, etc.

Ensuite nous trouvons les scoliastes : l'Anonyme, le Philosophe Chrétien, qui ont écrit des extraits, gloses et commentaires, concernant Zosime, Synésius, Olympiodore et les autres. Ces scoliastes sont des moines byzantins ; ils doivent être placés entre Stéphanus qu'ils citent, et Michel Psellus, auteur du XIe siècle, presque contemporain du manuscrit de Saint-Marc.

Vers le même temps se fit la transmission de la science aux Arabes : certaines compilations pratiques de ces derniers, par exemple celle de Salmanas sur les verres et pierres précieuses artificielles, ont passé dans les recueils des manuscrits postérieurs à celui de Saint-Marc.

Entrons dans quelques détails sur ces divers personnages.

§ 2. — ZOSIME

Zosime le Panopolitain est le plus ancien des auteurs alchimiques dont nous possédions les écrits authentiques et auxquels nous soyons autorisés à attribuer une existence réelle. Il est cité par Georges le Syncelle et par Photius[1], polygraphes du VIIIe et du IXe siècle. Tous les alchimistes en parlent avec le plus profond respect ; c'est la couronne des philosophes ; son langage a la profondeur de l'abîme, etc.

Suidas dit que Zosime avait composé vingt-huit livres sur l'alchimie, portant le même titre chirocmeta (manipulations ?) que ceux attribués à Démocrite et à Bolus de Mendès. Il avait aussi écrit une vie de Platon. La plupart de ces ouvrages sont aujourd'hui perdus. Cependant, nous en possédons encore un certain nombre, ainsi que les sommaires de plusieurs autres. Leurs titres rappellent parfois par leur forme vague et emphatique ceux des ouvrages orientaux. Je vais en donner l'énumération, principalement d'après le manuscrit 2.327.

I. — Mémoires authentiques de Zosime le Panopolitain (fol.80; reproduits fol. 220). Citons-en le début, qui présente une analogie frappante avec certaines pages du Timée et qui fournit la clef des idées des alchimistes sur le mercure des philosophes ; j'y reviendrai à ce point de vue.

« Sur l'eau divine. Voici le divin et grand mystère, la chose cherchée par excellence. C'est le tout. Deux natures, une seule essence ; car l'une d'elles entraîne et dompte l'autre. C'est l'argent liquide (mercure), l'androgyne, qui est toujours en mouvement. C'est l'eau divine que tous ignorent. Sa nature est difficile à comprendre : car ce n'est ni un métal, ni de l'eau, ni un corps (métallique). On ne peut le dompter ; c'est le tout dans le tout ; il a vie et souffle. Celui qui entend ce mystère possède l'or et l'argent... La puissance est cachée ; elle réside dans l'Érotyle.

Au-dessous sont les trois cercles concentriques, avec les axiomes mystiques. « Un est le tout, par lui le tout et en lui le tout. Un est le serpent, il a les deux emblèmes et le poison.» A la feuille 80, ces axiomes sont inscrits dans le texte même, en lettres rouges. Au-dessous sont dessinés les quatre signes alchimiques du plomb, du mercure, de l'argent et de l'or, surmontés par celui du monde ou de l'œuf ; ce dessin rappelle les anneaux astrologiques et gnostiques de la collection des pierres gravées de la Bibliothèque nationale. J'ai déjà insisté sur la parenté entre Zosime et les gnostiques.

Après ces phrases énigmatiques, viennent la description et la figure d'un alambic de verre, avec son tuyau en terre cuite, etc. A côté, une seconde figure, destinée à représenter l'appareil pour la fixation du mercure (pêxis). Une formule magique, au milieu de laquelle se trouve le Scorpion, accompagne les explications, lesquelles s'en réfèrent à Agathodémon.

II. — Sur le Tribicus (alambic à trois pointes) et sur son tube (fol. 81 ; reproduit fol. 221). C'est la description d'un appareil, avec une série de figures représentant, les unes un alambic, son chapiteau, ses tubes, son récipient ; les autres, des fioles digérant sur un fourneau. Au bas (fol. 81, verso), les axiomes mystiques « En haut les choses célestes, en bas les choses terrestres ; par le mâle et la femelle, l'œuvre est accomplie. »

III. — Sur l'évaporation de l'eau divine qui fixe le mercure (fol. 82).

Ce petit traité est suivi d'un commentaire sur la même eau divine, postérieur à Stéphanus.

IV. — *Livre de la Vertu. Sur la composition des eaux.*

Trois leçons, avec avis complémentaire.

C'est l'un des plus importants ouvrages de Zosime que nous possédions. Certains passages rappellent le *Timée*, de Platon, et plus encore le *Pœmander*. « La matière homogène et multicolore comprend la nature variée de toutes choses. C'est elle qui, sous l'influence lunaire de la nature, soumet l'augmentation et la diminution à la mesure du temps. »

Puis vient la description allégorique d'une vision, qui rappelle les élucubrations des gnostiques et des mystagogues des IIIᵉ et IVᵉ siècles. « Je vis un prêtre debout devant un autel en forme de coupe, ayant plusieurs degrés pour y monter. Le prêtre répondit : Je suis le prêtre du sanctuaire et je suis sous le poids de la puissance qui m'accable. Au point du jour, il vint un employé qui me saisit, me tua avec un glaive, me divisa en morceaux ; après avoir enlevé la peau de la tête, il mêla les os avec les chairs et me calcina dans le feu, pour m'apprendre que l'esprit naît avec le corps. Voilà la puissance qui m'accable. Pendant que le prêtre parlait ainsi, ses yeux devinrent comme du sang, et il vomit toutes ses chairs. Je le vis se mutiler, se déchirer lui-même avec ses dents et tomber à terre. Saisi de terreur, je me réveillai, je me mis à réfléchir et à me demander si c'était bien là la composition de l'eau. Et je me félicitais moi-même d'avoir deviné juste[2]. »

Plus loin, les métaux sont personnifiés par des hommes d'or, d'argent, de cuivre, de plomb, et par leurs aventures ; allégorie qui figure déjà dans le mythe du serpent Ouroboros, où l'on trouve également celles de la peau séparée des os et des chairs, etc.

« Construis, mon ami, dit encore Zosime, un temple monolithe, semblable à la céruse, à l'albâtre, un temple qui n'ait ni commencement ni fin, et dans l'intérieur duquel se trouve une source de l'eau la plus pure, brillante comme le soleil. C'est l'épée à la main qu'il faut chercher à y pénétrer, car l'entrée est étroite. Elle est gardée par un dragon qu'on doit tuer et écorcher. En réunissant les chairs et les os, il faut en faire un piédestal, sur lequel tu monteras pour arriver dans le temple, où tu trouveras ce que tu cherches. Car le prêtre, qui est l'homme d'airain que tu vois assis près de la source, change de nature et se transforme en un homme d'argent, qui lui-même, si tu le désires, peut se transformer en un homme d'or...

« Ne révèle rien de tout cela à autrui et garde ces choses pour toi-même, car le silence enseigne la vertu. Il est très beau de connaître la transmutation des quatre métaux, du plomb, du cuivre, de l'étain, de l'argent, et de savoir comment ils se changent en or parfait. »

Ce serait perdre son temps que de chercher à entendre ce jargon symbolique, rendu obscur à dessein. On y entrevoit l'allusion à des opérations réelles : effervescences, calcinations, dissolutions, etc.

Nous lisons des récits analogues dans les ouvrages du moyen âge, récits dont l'origine remonte peut-être aux traditions actuelles. Telle est l'allégorie alchimique de Merlin, renouvelée de la légende de Médée, allégorie dans laquelle un roi boit l'eau mystérieuse, tombe malade, est soigné par des médecins égyptiens qui le pilent dans un mortier, le calcinent, le font fondre et ressusciter[3].

« Reçois, dit ailleurs Zosime ou quelque auteur congénère en parlant de la pierre philosophale, cette pierre qui n'est pas une pierre, cette chose précieuse qui n'a pas de valeur, cet objet polymorphe qui n'a point de forme, cet inconnu qui est connu de tous. »

Son genre est un, son espèce multiple. Tout vient de l'Unité et tout s'y range. « Voici le mystère mithriaque, le mystère incommunicable ». Un semblable langage, antithétique et charlatanesque, n'a jamais cessé d'être en vigueur parmi les alchimistes.

Dans un autre endroit, Zosime reproduit la tétrade mystique des gnostiques et ses antithèses : les quatre teintures et les quatre points cardinaux, le sec et l'humide, le chaud et le froid, le mâle et la femelle, etc.; les quatre éléments, deux supérieurs, le feu et l'air, deux inférieurs, la terre et l'eau. Tout ceci rappelle Marcus, le disciple de Valentin.

Quelques-unes des allégories de Zosime peuvent être comprises plus clairement. Tel est le passage suivant : « La lune est pure et divine, lorsque vous voyez le soleil briller à sa surface. » Ce qui semble vouloir dire que la purification de l'argent par la coupellation devient complète, au moment où le métal fondu présente le phénomène de l'éclair.

A côté de ces allégories figurent des recettes plus positives, quoique mêlées de chimères, telles que la suivante :

« Prends du sel et arrose le soufre brillant, jaune ; lie-le, pour qu'il ait de la force, et fais intervenir la fleur d'airain, et fais de cela un acide liquide, blanc. Fais la fleur d'airain graduellement. Dans tout cela, tu dompteras le cuivre blanc, tu le distilleras et tu trouveras après la troisième opération un produit qui donne l'or. »

Mais revenons à l'énumération des ouvrages de Zosime.

V. — *Écrit authentique de Zosime le Panopolitain, sur l'art sacré et divin de la fabrication de l'or et de l'argent.* C'est un sommaire qui semble extrait de traités plus étendus.

VI. — *Livre sur la vertu et l'interprétation.*

C'est encore un extrait, renfermant des citations d'une époque postérieure.

VII. — *Livre de la vérité de Sophé l'Égyptien, livre mystique de Zosime le Thébain.* Le même titre reparaît un peu plus loin, sous le nom de Zosime et avec un texte différent. Cet ouvrage est cité par Olympiodore.

J'ai dit ailleurs que Sophé était une forme spéciale du nom du roi

Chéops, auquel on attribuait en Égypte, au IIIe siècle, les ouvrages nouveaux pour en augmenter l'autorité.

VIII. — *Le premier livre de l'accomplissement* (mot à mot du solde final), de Zosime le Thébain ; lequel confirme le livre de la Vérité.

C'est là que Zosime raconte que le royaume d'Égypte était soutenu par l'art de faire de l'or. Il parle de Démocrite, dont il cite les quatre catalogues. Il cite aussi les stèles antiques, avec leurs caractères symboliques, où se trouvait inscrit, en termes obscurs, l'art sacré : ce qui semble le récit mythique d'un homme frappé par la vue des hiéroglyphes qu'il ne comprend pas.

IX. — Traité sur les instruments et les fourneaux, ouvrage descriptif qui se trouve exposé dans le manuscrit 2.249, plus complètement que dans le manuscrit 2.327. Le manuscrit de Saint-Marc le contient aussi, mais avec des variantes. Zosime déclare qu'il décrit les instruments qu'il a vus dans le temple de Memphis et il s'en réfère (dans le manuscrit 2.249) aux ouvrages pneumatiques et mécaniques d'Archimède et d'Héron d'Alexandrie.

X. — Les chapitres de Zosime à Théodore figurent aussi dans le manuscrit 2.249 et dans le manuscrit de Saint-Marc, sous la forme d'une simple table de matières.

XI. — Un autre ouvrage de Zosime, son IXe livre, était intitulé *Imouth*, mot qui se retrouve dans Jamblique[4], et qui est la transcription du mot égyptien Imhotep, fils de Ptah, assimilé à Esculape (Asclepios) par les Grecs. C'était là que le crédule auteur parlait du livre *Chêma*, transmis par les anges aux mortels.

XII. — *Sur la chaux (asbestos)*. Cet ouvrage se termine par les mots : « c'est le secret que l'on a juré de ne pas révéler. »

XIII. — Psellus nomme encore *le Livre des Clefs* ou *la Petite Clef de Zosime*. Le *Kitab-al-Fihrist* lui attribue pareillement *les Clefs de la magie*.

XIV. — Enfin Gruner a publié en 1814, quatre petits traités attribués à Zosime : l'un sur la bière, un autre sur la trempe persane du bronze, sur la trempe du fer, enfin sur la fabrication du verre. Les trois derniers articles figurent dans nos manuscrits, mais ils n'y sont pas donnés comme de Zosime ; dans certains ils renferment des interpolations arabes. Ils semblent plutôt avoir fait partie de ces traités de technologie, d'origine ancienne, mais remaniés à diverses reprises par les praticiens pendant le moyen âge, traités dont j'ai eu occasion de signaler les titres et les cadres dans le chapitre relatif aux manuscrits grecs.

Tels sont les ouvrages de Zosime parvenus jusqu'à nous, en totalité ou par extraits, et qui forment une partie considérable des manuscrits de nos Bibliothèques.

Après Zosime, et invoqués de même par les auteurs postérieurs, on rencontre dans notre liste plusieurs personnages, sur lesquels nous ne possédons aucun autre renseignement. Tel est Comarius, ou Comenus, le prétendu maître de Cléopâtre. L'opuscule qui lui est assigné commence deux fois ; car son vrai début est précédé par une invocation d'un caractère à la fois chrétien et néoplatonicien, qui paraît ajoutée après coup par quelque moine copiste. Il y est question d'une eau divine qui guérit les maladies.

Pélage l'Ancien, autre alchimiste, cite Zosime et reproduit les axiomes relatifs à la génération du semblable par son semblable : « Qui sème le blé, produit du blé et le récolte ; qui sème l'or et l'argent, produit de l'or et de l'argent. »

Il semble que nous touchions des personnages solides avec Dioscorus, le prêtre du grand Sérapis à Alexandrie, auquel Synésius adresse son *Commentaire sur Démocrite*, et avec *Jean l'archiprêtre dans la divine Évagie et les sanctuaires qui s'y trouvent*. Son nom est chrétien ; mais sa fonction semble se rapporter à quelque institution égyptienne. Dans le traité qui porte son nom, lequel renferme d'ailleurs la trace d'interpolations, Jean invoque à la façon des gnostiques, les natures célestes et démiurgiques, l'Unité et la Triade ; il cite Démocrite et Zosime.

§ 3. — AFRICANUS

Africanus (Sextus Julius) est un syrien du temps d'Élagabale et d'Alexandre Sévère. C'est un compilateur encyclopédiste[5]. Georges le Syncelle, dans sa *Chronographie*[6], dit qu'Africanus avait écrit sur les matières médicales, naturelles, agricoles, chimiques. Il avait composé aussi des ouvrages géographiques, ainsi qu'une histoire d'Arménie, tirée des *tabularia* d'Édesse, et des ouvrages militaires, dont nous possédons des fragments imprimés. Son livre intitulé : *Kestôn* (allusion à la ceinture de Vénus, allusion analogue à celle qu'exprime le mot anthologie : bouquet de fleurs poétiques), traitait de toutes sortes de sujets. Suidas nous apprend que les remèdes proposés par Africanus, consistaient en caractères écrits, incantations et paroles magiques, précisément comme ceux des papyrus de Leide. Les *Geoponica* renferment divers fragments de cet auteur, relatifs par exemple à des recettes agricoles la conservation du vin. Le caractère des écrits d'Africanus rappelle Zosime et les gnostiques.

Le nom d'Africanus figure dans la liste initiale du manuscrit de Saint-Marc et il est cité dans le manuscrit 2.327, à côté des auteurs les plus autorisés. C'est toujours la même littérature.

§ 4. — SYNÉSIUS

Les études alchimiques semblent atteindre leur plus haut degré de culture vers la fin du IVe siècle et au commencement du Ve, pendant le règne de Théodose Ier et de ses successeurs. En effet, à ce moment nous entrons de plus en plus sur le terrain de l'histoire ; et les noms qui se présentent sont ceux de personnages historiques, qui ont marqué de leur temps. Les écrits qui leur sont attribués ont le caractère d'ouvrages sérieux : ils renferment souvent des procédés positifs et pratiques ; ils s'en réfèrent à un grand nombre de circonstances de temps et de lieu caractéristiques et qui permettent d'affirmer qu'ils appartiennent à des gens de l'époque, tels que Synésius et Olympiodore.

Synésius est un homme important dans l'histoire du IVe siècle ; il est mort en 415. Il fut nommé (en 401) par ses concitoyens évêque de Ptolemaïs en Cyrénaïque, comme le citoyen principal de la ville et le plus capable de la défendre contre les barbares. C'était un singulier évêque, marié, gardant sa femme et ses enfants, à peine chrétien ; car il ne croit pas aux dogmes contraires à la philosophie. Astronome, physicien, agriculteur, chasseur, ambassadeur à Constantinople auprès de l'empereur Arcadius, il fut d'abord païen et cependant ami du patriarche Théophile, qui le consacra évêque, malgré toutes ses réserves, en acceptant sa déclaration qu'il faut cacher la vérité au peuple et en lui laissant conserver sa femme ; bref, Synésius était un esprit universel. Ses œuvres ont été publiées à Paris en i63i, avec celles de saint Cyrille. Elles contiennent divers ouvrages philosophiques, qui se rattachent aux doctrines néoplatoniciennes, et une correspondance très intéressante. Ainsi on connaît de lui une lettre à Hypatie[7], la célèbre philosophe d'Alexandrie massacrée plus tard par les chrétiens, lettre qui renferme la première indication connue de l'aréomètre. A la vérité, dans ses lettres, Synésius cite continuellement ses classiques, dont l'ouvrage alchimique ne renferme pas trace. Mais ce genre de citations est bien clairsemé dans l'ouvrage du même Synésius : De Providentia, où il raconte l'histoire de l'administration oppressive et de la chute de Gaïnas, sous le voile transparent de récits empruntés à la mythologie des Égyptiens. Il a encore écrit un livre sur les songes et sur leur interprétation, lequel rappelle le traité d'Onirocritie, transcrit au début du manuscrit de Saint-Marc, ainsi que les recettes pour procurer des songes, qui figurent dans les papyrus de Leide[8], à côté des recettes alchimiques et de l'anneau portant un Ouroboros.

Ce sont là toujours les mêmes doctrines occultes. On lit en effet dans Synésius[9], une lettre où il s'exprime, en un langage rendu vague à dessein, sur les mystères qui doivent rester cachés et qu'il ne veut pas même être soupçonné d'avoir fait connaître à son ami Héraclianus. S'agissait-il de magie ou d'alchimie ?

Enfin, toujours dans le même ordre d'associations, on peut citer les hymnes gnostiques de Synésius, congénères à certains égards des poèmes alchimiques, et où l'idée de la matière reparaît fréquemment. « Tu es la nature des natures, » s'écrie-t-il à peu près dans le style du pseudo-Démocrite. « O natures, démiurges des natures ! »

Nous avons montré à plusieurs reprises quels liens étroits rattachent entre eux les premiers alchimistes et les gnostiques. Dès lors, il n'y a rien de surprenant à ce que Synésius ait réellement écrit sur l'alchimie sauf à écarter peut-être certaines interpolations, dues à des copistes postérieurs, dans les ouvrages qui lui sont attribués. Lambecius, savant du siècle dernier, qui a publié le catalogue de la Bibliothèque de Vienne, partageait cette opinion. Dans nos manuscrits, on attribue spécialement à Synésius un commentaire sur le pseudo-Démocrite, adressé « à Dioscorus, prêtre du grand Sérapis à Alexandrie, par la faveur divine Synésius le philosophe, salut. » Ce commentaire a été traduit en latin par Pizzimenti (1573). Je l'ai déjà cité, en parlant de Démocrite. La qualité de Dioscorus, prêtre de Sérapis, auquel il est dédié, nous reporterait à l'époque païenne et à une date antérieure à la destruction du temple d'Alexandrie par l'ordre de Théodose, destruction accomplie en 389. Le nom de Dioscorus figure aussi dans les lettres authentiques de Synésius[10], comme celui d'un évêque, à la vérité. Serait-ce un homonyme, ou bien le prêtre de Sérapis, converti plus tard comme Synésius lui-même ? Julius Firmicus, auteur du même siècle, a laissé deux ouvrages non moins contradictoires : un traité d'astrologie, d'un caractère purement païen, et un ouvrage apologétique du christianisme. Les hommes de ce temps avaient d'étranges aventures.

Un autre ouvrage de Synésius, qui semble interpolé par places, a été traduit en français ; c'est « le vieux livre du docte Synésius, abbé

grec[11] » « Tire d'eux ton vif argent, y est-il dit, et tu en feras la médecine ou quintessence, puissance impérissable et permanente, nœud et
lien de tous les éléments qu'elle contient en soi, esprit qui réunit toute
chose. » C'est toujours le style de Zosime et des alchimistes gnostiques.

§ 5. — OLYMPIODORE

Olympiodore est un auteur de date non moins sûre. On connaît en effet
sous ce nom un historien grec, natif de Thèbes en Égypte, qui prit part
à une ambassade envoyée auprès d'Attila, sous Honorius, en 412. Il a
voyagé chez les Blemmyes[12], en Nubie, et visité les prêtres d'Isis à
Philæ, où les derniers débris de l'hellénisme, protégés par un traité,
demeurèrent en honneur jusqu'en 562. Ce temple subsiste encore. J'ai
vu moi-même sur les pylônes les grandes figures des dieux égyptiens
martelées par les moines, au-dessus des inscriptions qui attestent le
passage de l'armée de Desaix.

Ce même Olympiodore a écrit l'histoire de son temps, de 400 à 425,
et l'a dédiée à Théodose II.

Photius[13] désigne Olympiodore sous le nom caractéristique de *poïê-
tês* de profession : ce qui ne veut pas dire poète, mais alchimiste
(*operator*), d'après l'interprétation de Reinesius et de Du Cange. Ce mot
répond, en effet à *poiésis*, qui signifie le grand œuvre dans la langue
des adeptes.

L'incohérence des compositions historiques d'Olympiodore, signalée par Photius, se retrouve dans l'ouvrage alchimique qui porte son
nom. Celui-ci a pour en-tête : *Olympiodore philosophe à Pétasius, roi d'Arménie, sur l'art divin et sacré*. Fabricius[14] et Hœfer[15] le citent d'après
d'autres manuscrits, qui ajoutent les mots : *Commentaires sur le livre de
l'acte de Zosime et sur les dires d'Hermès et des philosophes*. L'auteur
nomme parmi ses prédécesseurs : Agathodémon, Chymès, Marie la
Juive, Synésius. Il invoque les Muses et la race des illustres Piérides, les
oracles d'Apollon, ceux des démons ou dieux inférieurs, et les expositions des prophètes. Il s'en réfère à la fois à l'autorité de la Bible, qu'il
ne semble guères avoir lue, à celle des inscriptions du temple d'Isis, et
à celle des ouvrages des philosophes grecs, qu'il connaît beaucoup
mieux. Ailleurs il reproduit les contes de l'antiquité relatifs à l'origine
de l'or engendré dans la terre d'Éthiopie. « Là, une espèce de fourmi
extrait l'or et le met au jour et s'en réjouit. » J'ai cité plus haut les
passages de cet auteur relatifs au tombeau d'Osiris, image de l'alchi-

mie, au serpent qui se mord la queue, et aux douze signes du zodiaque ; au microcosme et au macrocosme, dont l'homme est l'abrégé ; aux hiérogrammes, ainsi qu'aux spéculations gnostiques, reproduites de Zosime. Tout cela nous représente l'étrange mélange d'idées et de connaissances qui existaient dans la tête d'un savant du Vᵉ siècle.

Cependant, Olympiodore ne procède pas par allégories, comme Zosime. « Les anciens, dit-il, avaient l'habitude de cacher la vérité, de voiler et d'obscurcir par des allégories ce qui est clair et évident pour tout le monde. » C'est aux alchimistes sincères et de cet ordre qu'il convient de s'attacher de préférence, si l'on veut pénétrer le sens obscur du langage de leur temps ; sans méconnaître pourtant leur crédulité. Olympioclore parle d'abord de la macération, du lavage, du grillage des minerais ; il distingue les corps en volatils et fixes.

Plus loin : « Les anciens admettent trois teintures ; la première est celle qui s'enfuit promptement (se volatilise), comme le soufre et l'arsenic[16] ; la seconde est celle qui s'enfuit lentement, comme les matières sulfureuses ; la troisième, celle qui ne s'enfuit pas du tout : tels sont les métaux, les pierres et la terre. La première teinture, qui se fait avec l'arsenic, teint le cuivre en blanc. L'arsenic est une espèce de soufre qui se volatilise promptement tout ce qui est semblable à l'arsenic se volatilise par le feu et s'appelle matière sulfureuse. » Il dit encore : « Le mercure blanchit tout, tire les âmes de tout, change les couleurs et subsiste. »

Olympiodore reproduit les récits de Zosime sur le rôle de l'alchimie près des rois, en Égypte. Il cite textuellement les commentaires de Synésius sur Démocrite.

Ailleurs, il signale en détail la seconde teinture, qui s'enfuit lentement et que l'on emploie dans la fabrication de l'émeraude « Prenez deux onces de beau cristal et une demi-once de cuivre calciné ; préparez d'abord du cristal, produit par l'action du feu, mettez-le dans l'eau pure, nettoyez-le, broyez ces substances[17] dans un mortier et faites les fondre ensemble à une température égale. »

L'écrit d'Olympiodore fournit des données historiques, de nature à en fixer la date et le lieu. En effet, dès les premières lignes, il nomme les mois égyptiens, *mechir* et *mesori*, mois égyptiens réels, qui se rapportent, comme on sait, aux tétraménies d'été et d'hiver. Il cite les bibliothèques Ptolémaïques, c'est-à-dire d'Alexandrie, du ton d'un homme qui les aurait lues lui-même, — à moins qu'il n'en ait parlé simplement dans le désir d'en tirer quelque autorité pour ses assertions ; comme le faisait déjà Tertullien.

Ce qui est plus concluant, Olympiodore reproduit les opinions des philosophes grecs de l'école ionienne, Thalès, Anaximandre, Anaximène, et celles des Éléates, Parménide et Xénophane, sur les principes des choses. Il en parle à peu près dans les mêmes termes et probablement d'après les mêmes documents, aujourd'hui perdus, que Simplicius et les néoplatoniciens. A la vérité, il y amalgame les idées des auteurs alchimiques, Hermès et Agathodémon ; je reproduirai plus loin ce passage, qui est fort important.

Tout cela, joint au langage fortement imbu de gnosticisme, tend à préciser l'époque où l'ouvrage que nous citons a été écrit : à savoir un peu avant la ruine de l'école d'Alexandrie. Or, cette dernière est datée dans l'histoire : elle répond à la catastrophe du Sérapéum et de la bibliothèque Ptolémaïque.

§ 6. — LA FIN DE LA CULTURE HELLÉNIQUE EN ÉGYPTE ET LA DESTRUCTION DES LABORATOIRES

Le temple de Sérapis, en effet, était le centre de la civilisation grecque à Alexandrie. C'était un des grands foyers de la culture païenne et probablement aussi des études médicales et alchimiques. Aussi sa destruction fut-elle poursuivie avec acharnement par les chrétiens triomphants. On peut lire dans Gibbon[18] le récit de cette ruine, accomplie à la suite de luttes violentes entre les défenseurs de l'hellénisme et les moines soulevés par l'archevêque Théophile. Les premiers ne cédèrent que sur un ordre direct de l'empereur Théodose, ordre contemporain de l'édit qui ordonna la destruction générale des temples dans l'empire romain. Nul acte ne fut plus funeste que cet édit à l'art et à la science, et le souvenir de l'empereur qui le signa doit en rester à jamais flétri.

La bibliothèque, ou plutôt ses débris, semblent avoir subsisté quelque temps encore. Les cours faits au Muséum d'Alexandrie se poursuivirent jusqu'au massacre de la savante Hypatie, crime infâme accompli avec des particularités atroces par les moines ameutés à la voix du patriarche saint Cyrille, neveu et héritier de Théophile.

Ainsi disparurent l'École d'Alexandrie et sa bibliothèque, anéanties par le fanatisme chrétien. L'historien P. Orose nous dit, quelque temps après, non sans une expression de regret, avoir vu les cases vides et la place des livres disparus. Quelques essais de reconstitution de la bibliothèque semblent avoir eu lieu, jusque vers le temps des Arabes.

Mais l'École même ne fut jamais rétablie. Les philosophes persécutés se transportèrent à Athènes, autre centre d'études, où Proclus enseigna ; et ce centre subsista près d'un siècle, jusqu'au jour où un nouvel édit de Justinien, en 529, accomplit la suppression officielle de la science et de la philosophie antiques.

Le Sérapéum de Memphis et le temple de Ptah, où se trouvaient probablement les laboratoires médicaux et techniques des alchimistes, périrent vers la même époque que les sanctuaires d'Alexandrie.

Des scènes épouvantables signalèrent dans toute l'Égypte la fin de la civilisation hellénique et le triomphe du christianisme. On peut lire dans les publications de M. Révillout[19] le récit de la vie de ces moines prophètes, tels que Sénouti, soulevant partout les pauvres contre les riches, maltraitant les magistrats envoyés pour rétablir l'ordre, coupant les digues du Nil afin d'engloutir les terres de leurs ennemis, massacrant et brûlant les prêtres, les philosophes, les principaux citoyens des villes, au milieu des ruines de leurs maisons et de leurs temples incendiés. « Les dents des pêcheurs, tu les as brisées... Le Seigneur vous a détruits parce que vous l'avez irrité, » s'écrie le fanatique après son triomphe.

Voilà comment finit la culture grecque à Panopolis, l'un de ses milieux les plus importants. Le principal chef des Hellènes, le poète Nonnus d'après M. Révillout, fut brûlé vif avec ses richesses. Après le pillage, les chrétiens occupèrent les maisons de ceux qui s'étaient enfuis.

Aucune calomnie n'était épargnée aux victimes. Suivant une fable toujours renouvelée et que nous avons vu invoquer de nos jours contre les Juifs de Hongrie, aussi bien que contre les catholiques de Notre-Dame des Victoires, à Paris, pendant la Commune, on accusait les prêtres d'immoler des enfants et des victimes humaines, et l'on en montrait aux populations fanatisées les restes au milieu des temples, au Sérapéum d'Alexandrie, par exemple.

C'est au milieu de ces tragiques événements que se poursuivit la culture de l'art sacré ; surtout sous forme théorique, car il semble que les expérimentateurs proprement dits aient disparu en Égypte avec leurs laboratoires. Les auteurs qui viennent ensuite, tels que Stéphanus, l'Anonyme, le Philosophe Chrétien, sont plutôt des scoliastes et des commentateurs que des écrivains originaux.

La persécution à la fois politique et religieuse qui atteignit les adeptes peut faire comprendre pourquoi ils se cachaient avec tant de soin, sous le voile redoublé des pseudonymes et des apocryphes. Leurs précautions furent telles, que nous avons peine aujourd'hui à retrouver les indices et les caractères positifs de ce qu'ils ont été.

Cependant, il ne faudrait exagérer, ni l'absence de mentions des faits positifs de leur temps, ni la signification qu'il convient d'en tirer. D'une part, ces mentions ne font pas absolument défaut, ainsi qu'il résulte des nombreuses citations que j'ai faites en parlant des origines égyptiennes et gnostiques de l'alchimie. D'autre part, on ne doit pas oublier que les auteurs préoccupés d'un objet spécial, technique ou scientifique, ne racontent guère les choses étrangères à leur sujet. Celui qui voudrait dans quelques siècles reconstruire l'histoire de notre temps à l'aide des Mémoires contenus dans les *Annales de Physique et de Chimie*, ou bien à l'aide des indications d'un traité d'analyse chimique ou de technologie, serait fort embarrassé. Nous ne rencontrons certainement pas plus d'allusions contemporaines dans les ouvrages du philosophe Porphyre que dans ceux des alchimistes Zosime et Olympiodore.

§ 7. — STÉPHANUS

L'art sacré ne fut pas entièrement anéanti par la ruine de la culture païenne. Deux causes devaient le maintenir : d'une part, l'utilité de ses pratiques pour les travaux des métaux, des verres, des poteries, des teintures, travaux très en honneur à Constantinople ; et, d'autre part, les espérances illimitées excitées par ses théories. Aussi existe-t-il toute une suite d'auteurs qui ont écrit des livres d'Alchimie, même après Synésius et Olympiodore.

Le plus remarquable, celui qui continue le plus nettement la tradition, est un personnage historique bien caractérisé et ayant joué un rôle de son temps, je veux dire Stéphanus d'Alexandrie, qui vivait à l'époque d'Héraclius (vers 620). Il est identifié par Fabricius[20] avec Stéphanus d'Athènes, qui a laissé des ouvrages médicaux. C'est, dit-on, l'un des sept compilateurs qui ont rassemblé les œuvres de Galien et les ont distribuées en seize livres, arrêtant ainsi la forme sous laquelle ces œuvres nous sont parvenues[21].

On lui attribue aussi un traité d'astrologie (Apotelesmatica). Stéphanus est cité dans le Kitab-al-Fihrist. Son nom se retrouve au moyen âge dans les Allegoriæ sapientum (Bibliotheca chemica, t.I, p.472 et 478), opuscule où Héraclès (Héraclius ?) s'adresse à Stéphanus d'Alexandrie.

Nous possédons de ce dernier neuf leçons (praxeis) sur la chimie, dédiées précisément à Héraclius. Cette œuvre existe dans nos principaux manuscrits, tels que celui de Saint-Marc, les numéros 2.325 et 2.327 de la Bibliothèque de Paris, etc. Pizzimenti en a donné une paraphrase latine en 1573, à la suite du traité de Démocrite (Democriti de Arte magna). Ideler a publié le texte grec dans les Physici et medici græci minores[22].

Stéphanus ferme le cycle des commentateurs démocritains. Il cite Hermès, Orphée, Chymès, Démocrite, Ostanès, Cléopâtre, Comarius, etc. C'est un chrétien mystique et en même temps un philosophe très au courant des doctrines pythagoriciennes et platoniciennes.

Il éclate en expressions enthousiastes et figurées[23] : « O métal de la magnésie, par toi s'exécute l'œuvre mystérieuse. O nature vraiment supérieure à la nature, tu triomphes des natures ; tu es la nature une, qui comprend le tout... O fleur charmante des philosophes praticiens ; ô splendeur contemplée par les hommes vertueux O lune empruntant ta lumière à celle du soleil... O nature une, qui demeure la même et qui ne change pas. Objet de jouissance et jouissant toi-même, triomphante et dominée, etc. » Un style semblable est celui d'un commentateur fasciné par son sujet, plutôt que d'un véritable expérimentateur.

Je donnerai plus loin des citations considérables des doctrines philosophiques de Stéphanus, citations précieuses pour l'histoire des théories alchimiques.

§ 8. — LES POÈTES ALCHIMISTES

L'enthousiasme qui a inspiré les écrits de Stéphanus s'est traduit sous une forme plus frappante encore dans les poètes. Toute une littérature de poètes alchimiques se succède en effet, depuis l'énigme tirée des livres sibyllins, jusqu'à Jean de Damas et jusqu'au temps des Croisades. Elle constitue dans nos manuscrits un groupe caractéristique d'ouvrages, copiés à la suite les uns des autres. Les litanies de l'or y figurent et attestent le mysticisme de leurs auteurs.

Ces poèmes, objet d'une admiration et d'une lecture continuelle dans les couvents de Constantinople, ont été remaniés pendant plusieurs siècles par les copistes, avec des additions, interpolations, et changements, qui ont été parfois jusqu'à transformer en vers politiques, dans certains manuscrits, les iambes assez corrects, contenus dans d'autres et rappelant les morceaux de l'anthologie. Plusieurs fragments ont été imprimés à la suite du traité de Palladius, de Febribus, par Bernard en 1745. L'ensemble a été publié par Ideler[24].

Le plus ancien poète alchimique paraît être Héliodore, que l'on a identifié parfois avec l'évêque de Tricca, auteur du roman des Éthiopiques, élève de Proclus et contemporain de Théodose et d'Arcadius. Le poème alchimique qui porte son nom est en effet dédié à Théodose Ier.

Archélaüs, autre poète, est aussi fort ancien, quoique de date incertaine. Nommons encore les poèmes de Théophraste et d'Hiérothée. Mais il y a peu de documents positifs à tirer d'une semblable littérature.

§ 9. — LES COMMENTATEURS

Les noms que j'ai cités jusqu'ici comprennent tous les auteurs sur lesquels on possède quelque renseignement historique, avant le temps d'Héraclius. Ce ne sont pas cependant les derniers alchimistes. En effet, l'alchimie continua d'être cultivée à Constantinople et dans les pays grecs, pendant tout le moyen âge et jusqu'à notre temps.

Parmi les auteurs qui s'en sont occupé, plusieurs figurent dans nos collections : ce sont en général des commentateurs. Quelques-uns sont peut-être antérieurs à Stéphanus.

Tel est le Philosophe Chrétien, dont nous possédons plusieurs traités et qui est aussi nommé dans le *Kitab-al-Fihrist*. Son langage est analogue à celui d'Olympiodore : il mélange de même la culture grecque et la culture chrétienne, l'alchimie et la théologie. Il semble que ce soit un moine byzantin, très instruit et imprégné de gnosticisme.

C'est ainsi qu'il parle de la source intarissable qui verse son eau au milieu du Paradis. « L'oracle divin dit : formons l'homme et faisons le mâle et femelle.» Plus loin il fait mention de l'ombre du cône de la terre, qui s'étend jusqu'à la sphère de Mercure. II – cite d'un côté Aratus et Hésiode, de l'autre la Bible et en même temps Hermès, d'après son écrit à Pauséris, ainsi qu'Agathodemon, Zosime, Pétésis, Démocrite. Il expose, en langage philosophique, les diversités de la fabrication de l'or, suivant le genre et l'espèce. Plus loin il reproduit les images géométriques des éléments, empruntées aux Pythagoriens et aux Platoniciens : pyramide, tetraèdre, octaèdre, etc. Bref, ses opuscules représentent une série d'extraits et de scolies, tirés des anciens alchimistes, les uns mystiques, les autres pratiques. A la fin on retrouve, en abrégé, le passage de Zosime sur le rôle de l'alchimie, envisagée en Égypte comme source de richesses pour les rois. « Telle est, dit-il en finissant, l'image du monde, célèbre dans les anciens écrits, la science mystique des hiérogrammes égyptiens. » Puis viennent les natures substantielles, le consubstantiel Orphique et la lyre Hermaïque. Un style pareil rappelle à la fois les gnostiques et les théologiens qui ont suivi le concile de Nicée.

Le Philosophe Anonyme est un scoliaste du même ordre, mais plus récent. Dans son traité sur l'art de faire de l'or et sur l'eau divine du blanchiment, il associe Olympiodore et Stéphanus à Hermès, à Démocrite, à Zosime, à Jean l'archiprêtre. Il cite, à côté d'eux, l'Écriture Sainte et les trois personnes de la Trinité. C'est lui qui a donné la première liste des philosophes œcuméniques.

C'est ainsi que l'on arrive jusque vers le VIIIe siècle, époque où l'alchimie s'est transmise aux Arabes. Cette transmission paraît avoir eu lieu en même temps que celle des autres sciences naturelles et médicales.

A cet égard, le nom de Sergius, qui se trouve dans la liste alchimique, et auquel le philosophe chrétien a dédié son traité sur l'eau divine, est fort important ; car il semble qu'il s'agisse de Sergius Resainensis, lequel, au temps de Justinien (VIe siècle), traduisit en syriaque les médecins et les philosophes grecs, ainsi que nous l'apprend M. Renan, dans sa thèse sur la philosophie péripatéticienne parmi les Syriens (1852). Nous sommes amenés par là vers la Mésopotamie, du côté d'Édesse, ville où il existait alors une académie célèbre, c'est-à-dire un centre scientifique, et du côté de Harran, où s'était développée une école qui demeura païenne jusqu'au XIe siècle.

L'alchimie pratique et théorique continuait cependant à être cultivée à Constantinople, comme l'attestent l'invention du feu grégeois[25] et les écrits des moines Cosmas, Psellus, et Blemmydas, ajoutés après coup dans quelquesuns de nos manuscrits. Mais, pendant ce temps, la science prenait un développement nouveau et capital chez les Arabes.

§ 10. — TRANSMISSION DE L'ALCHIMIE AUX ARABES ET AUX OCCIDENTAUX

L'origine grecque de la chimie arabe n'est pas douteuse ; les noms mêmes d'alchimie et d'alambic ne sont autre chose que des mots grecs, avec addition de l'article arabe. Les vieux maîtres, Démocrite, Zosime et les autres, sont mentionnés dans les livres arabes ; je l'ai établi plus haut, en donnant des extraits du *Kitab-al-Fihrist*. Les doctrines et les pratiques des Arabes demeurent d'ailleurs les mêmes, surtout au début ; ainsi qu'il est facile de le reconnaître en lisant Geber, le maître des alchimistes arabes.

Geber (Al-Djaber) vivait à la fin du VIIIe siècle. On lui a attribué plus de cinq cents ouvrages ; mais ils appartiennent pour la plupart à des époques postérieures. Le principal et celui qui semble le plus authentique est la *Summa perfectionis magisterii in sua natura*[26]. C'est un ouvrage composé avec méthode, postérieur par là même aux travaux confus des alchimistes grecs qu'il coordonne. La naïveté de certains passages montre d'ailleurs un homme sincère et convaincu de la vérité de son art.

Il débute par l'exposé des obstacles qui empêchent l'art de réussir : obstacles qui viennent du corps et de l'esprit. Ceci rappelle la page du pseudo-Démocrite sur les vertus de l'initié. Puis vient la réfutation en forme et par arguments logiques des ignorants et sophistes qui nient la vérité de l'art.

Ce doute ne se rencontre guère formulé dans les alchimistes grecs : il accuse une époque postérieure et une réflexion plus approfondie. Geber le réfute longuement. Cependant, il n'est pas d'une crédulité absolue, car il nie l'influence de la position des astres sur la production des métaux ; contrairement aux opinions régnantes du temps de Zosime et de Proclus.

La matière de l'art réside, d'après Geber, dans l'étude des substances, telles que le soufre, l'argent, la tutie, la magnésie, la marcassite, le sel ammoniac, etc. ; énumération qui rappelle les catalogues du pseudo-Démocrite. Le rôle des esprits volatils nous reporte aux eaux divines et aux appareils distillatoires de Zosime.

En effet, la description des opérations est faite à part par Geber. Ce sont : la sublimation ; la volatilisation *per descensum* ; la distillation par évaporation, ou par simple filtration ; la calcination ; la solution ; la coagulation, qui comprend la cristallisation, et la fixation des métaux ; la coupellation (*examen cineritii*) ; l'amollissement (incération) des corps durs, etc. Tout ceci existe déjà dans les écrits des alchimistes grecs ; mais Geber l'expose avec une clarté et une méthode qui leur manquaient, et qui rendent l'intelligence des vieux auteurs plus facile.

Puis vient une description scientifique des métaux, analogue à celle des traités modernes. Mais il s'y joint l'indication des méthodes propres à les fabriquer de toutes pièces. Geber en effet regarde les métaux comme formés de soufre, de mercure et d'arsenic ; théorie qui vient des alchimistes grecs et qui s'est perpétuée au moyen âge. L'or, en particulier, est formé par le mercure purifié, associé à une petite quantité de soufre pur. Le soufre, le mercure, l'arsenic purs de Geber sont des matières quintessenciées, plus subtiles que les substances vulgaires qui portent le même nom. Celui qui parviendra à les isoler, pourra fabriquer et transformer à volonté les métaux. Le mercure qui donne la perfection aux métaux n'est pas le vif argent naturel, mais quelque chose tirée de lui : il faut lui ôter le grossier élément terrestre et l'élément liquide superflu, pour ne garder que la moyenne substance. De même pour le soufre et l'arsenic, qu'il faut dépouiller de l'impur élément terrestre et de l'élément igné, c'est-à-dire inflammable.

En fait, c'est en soumettant les métaux à des oxydations et calcinations prolongées, puis en les réduisant à l'état de corps métalliques, et en répétant ces opérations, que Geber cherche à les dépouiller de leurs propriétés : par exemple, on ôte ainsi à l'étain son cri, sa fusibilité, sa mollesse, qui le distinguent de l'argent ; on l'endurcit et on le rend plus fixe par des régénérations successives (ce qui est erroné). De même pour le plomb, que Geber déclare susceptible d'être changé facilement en argent toutefois il reconnaît avec sincérité que ce métal deux fois calciné par lui et deux fois régénéré (remis en corps) ne s'est pas endurci.

Toutes ces pratiques et ces théories concordent avec celles des papyrus et des manuscrits ; elles font suite, pour ainsi dire, aux théories de Stéphanus. Le langage de ce dernier diffère à peine de celui de Geber, qui l'a suivi à un siècle d'intervalle.

Ces études furent continuées avec ardeur par les Arabes de Mésopotamie et d'Espagne, qui les enrichirent d'un grand nombre de découvertes, telles que la fabrication de l'alcool, de l'eau-forte, de l'huile de vitriol, du sublimé corrosif, du nitrate d'argent. Ils marquent donc un nouveau progrès dans l'ordre des études chimiques ; je dis dans l'ordre pratique, car dans l'ordre philosophique, ils ne sortent guère des cadres des théories grecques. Toutefois, je n'irai pas plus loin. Quel que soit l'intérêt de cette histoire, un orientaliste seul peut en entreprendre l'exposé, pour laquelle l'examen approfondi des manuscrits arabes et hébreux de nos bibliothèques, pour la plupart inédits, serait indispensable.

C'est par les Arabes que les études alchimiques revinrent en Occident, au temps des croisades, c'est-à-dire vers le XIIIᵉ siècle. Il est facile de s'en convaincre, en lisant le *Theatrum chemicum*, collection informe des traités alchimiques du moyen âge. Elle ne renferme aucune œuvre des alchimistes grecs, mais seulement les traductions latines des Arabes et les traités de leurs imitateurs, du XIIIe au XVIIe siècle. Les recherches chimiques se poursuivirent dès lors en Occident, jusqu'à la fondation de la science moderne.

En résumé, les pratiques métallurgiques et les premières idées de transmutation viennent de l'Égypte et de la Chaldée et elles se perdent dans une antiquité probablement fort reculée. Les Grecs d'Égypte ont transformé ces pratiques en une théorie demi-scientifique, et demi-mystique, à peu près comme ils ont fait pour l'astrologie. Leur science, transportée à Constantinople, s'est transmise à son tour aux Arabes, vers les VIIe et VIIIe siècles, ainsi que l'attestent formellement les passages du *Kitab-al-Fihrist* ; enfin, ce sont les Arabes de Syrie et d'Espagne qui l'ont enseignée à l'Occident. Telle est, je le répète, la filiation historique de l'alchimie.

---

1. Codex CLXX.
2. Je tire cette traduction de Hœfer, *Histoire de la Chimie*, t. I, p. 265, e edit., 1866.
3. Hœfer, t. I, p. 355.
4. *De mysteriis*, sect. VIII, ch. iii.
5. *Geoponica*, édit. Needham, p. XLII – (1781)
6. P. 319, de l'édition de Paris.
7. Œuvres de Synésius, p. 174.
8. Reuvens, lettre I, p. 8-10.
9. *Epist*, 142.
10. Œuvres de Synésius, p. 211.
11. Paris, 1612.
12. Voir le *Mémoire sur les Blemmyes* de M. Révillout. *Mém. de l'Acad. des Inscriptions*, Ire série, t. VIII, p. 371. Ce voyage est signalé par Photius.
13. Codex LXXX.
14. *Bibliotheca Græca*, t. XII, 764 ; Ire édition.
15. *Histoire de la Chimie*. T. I, p. 273.
16. Les mots de soufre et d'arsenic ne doivent pas être pris dans leur sens littéral moderne.
17. Il a ajouté un troisième corps, le Séricon.
18. *Histoire de la décadence et de la chute de l'empire romain*, t.V, p.356, trad. Guizot.
19. *Revue de l'histoire des religions*. 4e série, t. VIII, p. 146, 431, 434, etc.
20. *Bibl. græca*, l. VI, ch. vii ; t. XII, p. 694 de la Ire édit.
21. Leclerc, Histoire de la médecine arabe, t. 1, p. 53.
22. T. II. p.199 à 253 (1842).
23. Ideler, *Physici et medici græci minores*, t. II, p. 200.
24. *Physici et medici græci minores*, t. II, p. 328 à 352 (1842).
25. Voir mon ouvrage : *Sur la force des matières explosives*, t. II, p. 352, appendice (1883).
26. En latin, dans la *Bibliotheca chemica* de Manget, t.I ; en français, dans la *Bibliothèque des Philosophes chimiques* de Salmon.

LIVRE TROISIÈME : LES FAITS

CHAPITRE PREMIER – LES MÉTAUX CHEZ LES ÉGYPTIENS

§ 1. — INTRODUCTION

L'alchimie s'appuyait sur un certain ensemble de faits pratiques connus dans l'antiquité, et qui touchaient la préparation des métaux, de leurs alliages et celle des pierres précieuses artificielles : il y avait là un côté expérimental qui n'a cessé de progresser pendant tout le moyen âge, jusqu'à ce que la chimie moderne et positive en soit sortie. Cette histoire n'est autre que celle de l'industrie métallurgique. Certes je ne saurais prétendre l'embrasser tout entière dans le cadre restreint de la présente étude ; mais il est nécessaire de l'exposer en partie, pour montrer l'origine positive des idées et des illusions des alchimistes.

Cette origine doit être cherchée en Égypte, là où l'alchimie eut d'abord ses maîtres, ses laboratoires et ses traditions. C'est pourquoi, après avoir établi dans les livres précédents le caractère historique de traditions, je vais maintenant résumer les connaissances des anciens Égyptiens sur les métaux et sur les substances congénères. Je le ferai principalement d'après le mémoire capital de M. Lepsius sur cette question, et je montrerai par quelle suite de raisonnements et d'analogies ils ont été conduits à tenter la transmutation et à poursuivre les expériences dont nous avons constaté l'exécution à Memphis et à Alexandrie.

Sur les monuments de l'ancienne Égypte, on voit figurer les

métaux, soit comme butin de guerre, soit comme tribut des peuples vaincus ; on en reconnaît l'image dans les tombeaux, dans les chambres du trésor des temples, dans les offrandes faites aux dieux. D'après Lepsius, les Égyptiens distinguent dans leurs inscriptions huit produits minéraux particulièrement précieux, qu'ils rangent dans l'ordre suivant :

- L'or, ou *Nub* ;
- L'*asem*, ou *electrum*, alliage d'or et d'argent ;
- L'argent, ou *hat* ;
- Le *chesteb*, ou minéral bleu, tel que le lapis-lazuli ;
- Le *mafek*, ou minéral vert, tel que l'émeraude ;
- Le *chomt*, airain, bronze, ou cuivre ;
- Le *men*, ou fer (d'après Lepsius) ;
- Enfin le *taht*, autrement dit plomb.

Cet ordre est constant ; on le constate sur les monuments des dynasties thébaines, et jusqu'au temps des Ptolémées et des Romains. Dans les annales des compagnons de Thoutmosis III, à Carnak, on rencontre souvent, parmi les tributs, des listes et des tableaux figurés de ces substances précieuses, rangées d'après leur poids et leur nombre.

Les diverses matières que je viens d'énumérer comprennent à la fois des métaux véritables et des pierres précieuses, naturelles ou artificielles. Passons-les en revue : nous reconnaîtrons dans leurs propriétés le point de départ de certaines idées théoriques des alchimistes sur les métaux. Il faut en effet se replacer dans le milieu des faits et des notions connus des anciens, pour comprendre leurs conceptions.

§ 2. — L'OR

L'or, réputé le plus précieux des métaux, est représenté en monceaux, en bourses contenant de la poudre d'or et des pépites naturelles, en objets travaillés, tels que plaques, barres, briques, anneaux.

On distingue d'abord le bon or, puis l'or de roche, c'est-à-dire brut, non affiné, enfin certains alliages, l'électros ou électrum en particulier.

§3. — L'ARGENT

L'argent est figuré sur les monuments égyptiens sous les mêmes formes que l'or, mais avec une couleur différente. Son nom précède même celui de l'or dans quelques inscriptions, par exemple sur les stèles du Barkal à Boulaq : comme si le rapport entre les deux métaux eût été interverti à certains moments, par suite de l'abondance de l'or. On sait que leur valeur relative, sans changer à un tel point, a été cependant fort différente chez certains peuples ; chez les Japonais de notre époque, par exemple, elle s'est écartée beaucoup des rapports admis en Europe.

L'argent se préparait avec des degrés de pureté très inégaux. Il était allié non seulement à l'or, dans l'électrum, mais au plomb, dans le produit du traitement de certains minerais argentifères. Ces degrés inégaux de pureté avaient été remarqués de bonne heure et ils avaient donné lieu chez les anciens à la distinction entre l'argent sans marque, sans titre, asemon, et l'argent pur, monétaire, dont le titre était garanti par la marque ou effigie imprimée à sa surface. Le mot grec asemon s'est confondu d'ailleurs avec l'asem, nom égyptien de l'électrum, l'asem étant aussi une variété d'argent impur.

Dans l'extraction de l'argent de ses minerais, c'était d'abord l'argent sans titre que l'on obtenait. Son impureté favorisait l'opinion que l'on pouvait réussir à doubler le poids de l'argent, par des mélanges et des tours de main convenables. C'était en effet l'argent sans titre que les alchimistes prétendaient fabriquer par leurs procédés, sauf à le purifier ensuite. Dans les papyrus de Leide, et dans nos manuscrits grecs, les mots : « fabrication de l'*asemon* », sont synonymes de transmutation ; celle-ci était opérée à partir du plomb, du cuivre et surtout de l'étain. C'était aussi en colorant l'asemon que l'on pensait obtenir l'or : ce qui nous ramène à la variété d'argent brut qui contenait de l'or, c'est-à-dire à l'électrum.

§ 4. — L'ÉLECTRUM OU ASEM

L'*electros*, ou *electrum,* en égyptien *asem,* alliage d'or et d'argent, se voit à côté de l'or sur les monuments ; il a été confondu à tort par quelques-uns avec ce que nous appelons le vermeil, c'est-à-dire l'argent doré, lequel est seulement teint à la surface.

Parfois le nom de l'électrum figure seul sur les monuments, à la place de l'argent. De même chez les alchimistes, le nom mystique *d'hommes d'argent* est remplacé en certains endroits par celui *d'hommes* d'électrum.

Plus dur et plus léger que l'or pur, cet alliage se prêtait mieux à la fabrication des objets travaillés. Il était regardé autrefois comme un métal du même ordre que l'or et l'argent. La planète Jupiter lui était consacrée à l'origine, attribution qui est encore attestée par les auteurs du Ve siècle de notre ère. Plus tard, l'électrum ayant disparu de la liste des métaux, cette planète fut assignée à l'étain.

L'alliage d'or et d'argent se produit aisément dans le traitement des minerais qui renferment les deux métaux simples. C'était donc la substance originelle, celle dont on tirait les deux autres par des opérations convenables, et il n'est pas surprenant que les anciens en aient fait un métal particulier ; surtout aux époques les plus reculées, où les procédés de séparation étaient à peine ébauchés. Néron semble le premier souverain qui ait exigé de l'or fin.

« Tout or, dit Pline, contient de l'argent en proportions diverses ; lors que l'argent entre pour un cinquième, le métal prend le nom d'électrum. On fabrique aussi l'électrum en ajoutant de l'argent à l'or. » Les proportions signalées par Pline n'avaient d'ailleurs rien de constant. L'électrum, ayant une composition moins bien définie que les métaux purs, a paru former le passage entre les deux.

On savait, en effet, les en extraire tous deux ; l'or était, je le répète, le produit principal et l'argent en représentait la scorie, comme dit Pline. De là l'identification du nom égyptien de l'électrum, *asem*, avec celui de l'argent impur, *asemon*, et l'idée que l'or et l'argent, corps congénères, pouvaient être fabriqués par une même méthode de transmutation.

Avec le progrès de la purification des métaux, l'électrum tomba en désuétude. Cependant, son nom est encore inscrit dans la liste des signes alchimiques, parmi les substances métalliques.

Le mot d'électrum avait chez les Grecs et les Romains un double sens : celui de métal et celui d'ambre jaune. Son éclat a été comparé à celui de l'eau jaillissante par Callimaque, et plus tard par Virgile[1] ; comparaison qui nous reporte à l'identification faite par le Timée de Platon entre les eaux chimiques et les métaux. On conçoit dès lors, comment, dans le scholiaste d'Aristophane[2], l'électrum est assimilé au verre. Suidas le définit à son tour : une forme de l'or mêlé de verre et de pierres précieuses. Plus tard, le sens du mot changea et fut appliqué, peut-être à cause de l'analogie de la couleur, à divers alliages jaunes et brillants, tels que certains bronzes (*similor*) et le laiton lui-même. D'après Du Cange, les auteurs du moyen âge désignent sous le nom d'électrum un mélange de cuivre et d'étain. Dans un passage de cette dernière époque, il est regardé comme synonyme de laiton : « Il se donnait la discipline avec des chaînes d'électrum ou de laiton ». Nous voyons ici quels changements progressifs les noms des alliages métalliques ont éprouvés dans le cours des temps.

Les trois métaux précédents présentent le fait caractéristique d'un alliage compris par les Égyptiens dans la liste des métaux purs ; association que l'airain et le laiton ont reproduite également chez les anciens.

En outre, cet alliage peut être obtenu du premier jet, au moyen des minerais naturels ; et il peut être reproduit par la fusion des deux métaux composants, pris en proportion convenable. C'est donc à la fois un métal naturel et un métal factice : rapprochement indiquant les idées qui ont conduit les alchimistes à tâcher de fabriquer artificiellement l'or et l'argent. En effet, l'assimilation de l'électrum à l'or et à l'argent explique comment ces derniers corps ont pu être envisagés comme des alliages, susceptibles d'être reproduits par des associations de matières et par des tours de main ; comment surtout, en partant de l'or véritable, on pouvait espérer en augmenter le poids (*diplosis*) par certains mélanges, et par certaines additions d'ingrédients, qui en laissaient subsister la nature fondamentale.

Le *chesbet* et le *mafek* vont nous révéler des assimilations plus étendues.

§ 5. — LE SAPHIR OU CHESBET

Le chesbet et le mafek sont deux substances précieuses, qui accompagnent l'or et l'argent dans les inscriptions et qui sont étroitement liées entre elles. Ainsi, les quatre prophètes à Denderâ portent chacun un encensoir : le premier en or et en argent, le second en chesbet (bleu), le troisième en mafek (vert), le quatrième en tehen (jaune). Or, le chesbet et le mafek ne désignent pas des métaux au sens moderne, mais des minéraux colorés, dont le nom a été souvent traduit par les mots de saphir et d'émeraude. En réalité, le nom de chesbet ou chesteb s'applique à tout minéral bleu, naturel ou artificiel, tel que le lapis-lazuli, les émaux bleus et leur poudre, à base de cobalt ou de cuivre, les cendres bleues, le sulfate de cuivre, etc.

Le chesbet est figuré comme objet précieux sur les monuments, dans les corbeilles et dans les bourses qui y sont dessinées : on l'aperçoit parfois en longs blocs quadrangulaires et en masses de plusieurs livres. Il a servi à fabriquer des parures, des colliers, des amulettes, des incrustations, qui existent dans nos musées. Il personnifie la déesse multicolore, représentée tantôt en bleu, tantôt en vert, parfois en jaune, c'est-à-dire la déesse Hathor, et plus tard, par assimilation, Aphrodite, la déesse grecque, et aussi Cypris, la divinité phénicienne de Chypre, qui a donné son nom au cuivre.

Les annales de Thoutmosis III – distinguent le vrai chesbet (naturel) et le chesbet artificiel. L'analyse des verres bleus qui constituent ce dernier, aussi bien que celle des peintures enlevées aux monuments, ont établi que la plupart étaient colorés par un sel de cuivre. Quelques-uns le sont par du cobalt, comme l'indique l'*Histoire de la chimie* de Hœfer, et comme le montre l'analyse des perles égyptiennes faite par M. Clemmer. Ce résultat est conforme aux faits reconnus par Davy pour les verres grecs et romains. Théophraste semble même parler explicitement du bleu de cobalt, sous le nom de bleu mâle, opposé au bleu femelle. Théophraste distingue également le *cyanos autophyès*, ou bleu naturel, venu de Scythie (lapis-lazuli) et le *cyanos sceuastos*, ou imitation, fabriquée depuis l'époque d'un ancien roi d'Égypte, et obtenue en colorant une masse de verre avec un minerai de cuivre pris en petite quantité. Le bleu imité devait pouvoir résister au feu ; tandis que le bleu non chauffé (*apyros*), c'est-à-dire le sulfate de cuivre naturel, ou plutôt l'azurite, n'était pas durable. Vitruve donne encore le procédé de fabrication du bleu d'Alexandrie, au moyen du sable, du natron et de la limaille de cuivre, mis en pâte, puis vitrifiés au feu : recette qui se trouve dans les alchimistes grecs, ainsi que le montrent nos citations d'Olympiodore.

On rencontre ici plusieurs notions capitales au point de vue qui nous occupe.

D'abord l'assimilation d'une matière colorée, pierre précieuse, émail, couleur vitrifiée, avec les métaux ; les uns et les autres se trouvant compris sous une même désignation générale. Cette assimilation, qui nous paraît étrange, s'explique à la fois par l'éclat et la rareté qui caractérise les deux ordres de substances, et aussi par ce fait que leur préparation était également effectuée au moyen du feu, à l'aide d'opérations de voie sèche, accomplies sans doute par les mêmes ouvriers.

Remarquons également l'imitation d'un minéral naturel par l'art, qui met en regard le produit naturel et le produit artificiel : cette imitation offre des degrés inégaux dans les qualités et la perfection du produit.

Enfin, nous y apercevons une nouvelle notion, celle de la teinture ; car l'imitation du saphir naturel repose sur la coloration d'une grande masse, incolore par elle-même, mais constituant le fond vitrifiable, que l'on teint à l'aide d'une petite quantité de substance colorée. Avec les émaux et les verres colorés ainsi préparés, on reproduisait les pierres précieuses naturelles ; on recouvrait des figures, des objets en terre ou en pierre ; on incrustait les objets métalliques. Nous reviendrons sur toutes ces circonstances, qui se retrouvent parallèlement dans l'histoire du mafek.

§6. — L'ÉMERAUDE OU MAFEK

Le mafek, ou minéral vert, désigne l'émeraude, le jaspe vert, l'émail vert, les cendres vertes, le verre de couleur verte, etc. Il est figuré dans les tombeaux de Thèbes, en monceaux précieux, mis en tas avec l'or, l'argent, le chesbet ; par exemple, dans le trésor de Ramsès III.

Les égyptologues ont agité la question de savoir si ce nom ne désignait pas le cuivre ; comme Champollion l'avait pensé d'abord, opinion que Lepsius rejette. Je la cite, non pour intervenir dans la question, mais comme une nouvelle preuve de la parenté étroite du mafek avec les métaux. La confusion est d'autant plus aisée, que le cuivre est, nous le savons, le générateur d'un grand nombre de matières bleues et vertes.

De même que pour le chesbet, il y a un mafek vrai, qui est l'émeraude ou la malachite, et un mafek artificiel, qui représente les émaux et les verres colorés. La couleur verte des tombeaux et des sarcophages est formée par la poussière d'une matière vitrifiée à base de cuivre.

Le vert de cuivre, malachite ou fausse émeraude naturelle, était appelé en grec *chrysocolle,* c'est-à-dire soudure d'or ; en raison de son application à cet usage (après réduction et production d'un alliage renfermant un peu d'or et un cinquième d'argent, d'après Pline). C'était la base des couleurs vertes chez les anciens. Elle se trouvait, toujours suivant Pline, dans les mines d'or et d'argent ; la meilleure espèce existait dans les mines de cuivre. On la fabriquait artificiellement, en faisant couler de l'eau dans les puits de mine jusqu'au mois de juin et en laissant sécher pendant les mois de juin et juillet. La théorie chimique actuelle explique aisément cette préparation, laquelle repose sur l'oxydation lente des sulfures métalliques.

Le nom d'émeraude était appliqué par les Grecs, dans un sens aussi compréhensif que celui de mafek, à toute substance verte. Il comprend non seulement le vrai béryl, qui se trouve souvent dans la nature en grandes masses sans éclat ; mais aussi le granit vert, employé en obélisques et sarcophages sous la vingt-sixième dynastie ; peut-être aussi le jaspe vert. Ces minéraux ont pu servir à tailler les grandes émeraudes de quarante coudées de long, qui se trouvaient dans le temple d'Ammon.

C'est au contraire à une substance vitrifiée que se rapportent les célèbres plats d'émeraudes, regardés comme d'un prix infini, dont il est question au moment de la chute de l'empire romain et au moyen âge. Ainsi, dans le trésor des rois goths, en Espagne, les Arabes trouvèrent une table d'émeraude, entourée de trois rangs de perles et soutenue par 360 pieds d'or : ceci rappelle les descriptions des Mille et une nuits. On a cité souvent le grand plat d'émeraude, le Sacro Catino, pillé par les croisés à la prise de Césarée, en Palestine, en 1101, et que l'on montre encore aux touristes dans la sacristie de la cathédrale de Gênes. Il a toute une légende. On prétendait qu'il avait été apporté à Salomon par la reine de Saba. Jésus-Christ aurait mangé dans ce plat l'agneau pascal avec ses disciples. On crut longtemps que c'était une véritable émeraude ; mais des doutes s'élevèrent au XVIIIe siècle. La Condamine avait déjà essayé de s'en assurer par artifice, au grand scandale des prêtres qui montraient ce monument vénérable. Il fut transporté, en 1809, à Paris, où l'on a constaté que c'était simplement un verre coloré, et il retourna, en 1815, à Gênes, où il est encore.

La valeur attribuée à de tels objets et leur rareté s'expliquent, si l'on observe que la fabrication du verre coloré en vert, opération difficile et coûteuse, paraît avoir été abandonnée sous les Grecs et les Romains. Pline ne parle pas de ce genre de vitrification, qui était certainement en usage dans l'ancienne Égypte, d'après l'examen microscopique des couleurs employées sur les monuments.

Cependant nous trouvons parmi les recettes des manuscrits alchimiques un petit traité sur la fabrication des verres, où il est question, à côté du verre bleu, du verre *venetum*, c'est-à-dire vert pâle.

La confusion entre une série fort diverse de substances de couleur verte explique aussi la particularité signalée par Théophraste, d'après lequel l'émeraude communiquerait sa couleur à l'eau, tantôt plus, tantôt moins, et serait utile pour les maladies des yeux. Il s'agit évidemment de sels basiques de cuivre, en partie solubles et pouvant jouer le rôle de collyre.

Les détails qui précèdent montrent de nouveau une même dénomination appliquée à un grand nombre de substances différentes, assimilées d'ailleurs aux métaux : les unes naturelles, ou susceptibles parfois d'être produites dans les mines, en y provoquant certaines transformations lentes, telle est la malachite ; d'autres sont purement artificielles. On conçoit dès lors le vague et la confusion des idées des anciens, ainsi que l'espérance que l'on pouvait avoir de procéder à une imitation de plus en plus parfaite des substances minérales et des métaux, par l'art aidé du concours du temps et des actions naturelles.

§ 7. — L'AIRAIN OU LE CUIVRE

Après le chesbet et le mafek, la liste des métaux égyptiens se poursuit par un vrai métal, le *chomt*, nom traduit, d'après Lepsius, par cuivre, bronze, airain, et qui se reconnaît à sa couleur rouge sur les monuments. Champollion traduisait le même mot par fer. Cette confusion entre l'airain et le fer est ancienne. Déjà le mot latin *æs*, airain, répond au sanscrit *ayas*, qui signifie le fer.

Ici encore les Égyptiens comprenaient sous une même domination un métal pur, le cuivre, et ses alliages, obtenus plus facilement que lui par les traitements métallurgiques des minerais. Le cuivre pur, en effet, s'est rencontré rarement autrefois, bien qu'il existe à l'état natif : par exemple, dans les dépôts du lac Supérieur en Amérique ; et bien qu'il puisse être réduit de certains minerais à l'état pur. Mais il se prête mal à la fonte. Dans la plupart des cas, la réduction s'opère plus aisément sur des mélanges renfermant à la fois le cuivre et l'étain (*bronzes*), parfois aussi le plomb (*molybdochalque* des anciens), et le zinc (*orichalque, laitons*), en diverses proportions relatives. De là résultent des alliages plus fusibles et doués de propriétés particulières, qui constituent spécialement l'airain des anciens, le bronze des modernes.

Le chomt est représenté sur les monuments égyptiens en grosses plaques, en parallélépipèdes fondus (briques) et en fragments bruts, non purifiés par la fusion. Les musées renferment des miroirs de bronze (alliage de cuivre et d'étain), des serrures, clefs, cuillers, clous, poignards, haches, couteaux, coupes et objets de toute nature en bronze. Vauquelin en a publié des analyses, où il signale un septième d'étain. J'ai eu occasion d'exécuter moi-même, pour Mariette, quelques analyses de miroirs se rapprochant encore davantage de la composition du bronze le plus parfait (un dixième d'étain).

Ici vient se ranger l'*orichalque,* mot qui semble avoir représenté chez les Grecs tous les alliages métalliques jaunes rappelant l'or par leur brillant. Il a d'abord été employé par Hésiode et par Platon. Ce dernier parle dans son *Atlantide* d'un métal précieux, devenu mythique plus tard pour Aristote, et que, d'après Pline, on ne rencontrait plus de son temps dans la nature. Cependant, le mot se retrouve, à l'époque de l'empire romain et dans les traités des alchimistes grecs, pour exprimer le laiton, l'alliage des cymbales et divers autres. Il est venu jusqu'à nous dans la dénomination défigurée de *fil d'archal.*

Telle est la variabilité indéfinie de propriétés des matières désignées autrefois sous un seul et même nom. Ce sont, je le répète, des circonstances qu'il importe de ne pas oublier, si l'on veut comprendre les idées des anciens, en se plaçant dans le même ensemble d'habitudes et de faits pratiques. Les nombreux alliages que l'on sait fabriquer avec le cuivre, la facilité avec laquelle on en fait varier à volonté la dureté, la ténacité, la couleur, étaient particulièrement propres à faire naître l'espérance de transformer le cuivre en or. De là, ces recettes pour obtenir un bronze couleur d'or, inscrites dans les papyrus de Leide et dans nos manuscrits.

On raconte aussi que l'on trouva dans le trésor des rois de Perse un alliage semblable à l'or, qu'aucun procédé d'analyse, sauf l'odeur, ne permettait d'en distinguer. L'odeur propre de ces alliages, pareille à celle des métaux primitifs, avait frappé les opérateurs. Nous trouvons aussi dans une vieille recette de diplosis, où il est question d'un métal artificiel, ces mots : « la teinture le rend brillant et inodore ».

Ainsi il semblait aux métallurgistes du temps qu'il n'y eût qu'un pas à faire, un tour de main à réaliser, une ou deux propriétés à modifier pour obtenir la transmutation complète et la fabrication artificielle de l'or et de l'argent.

§ 8. — LE FER

Après le *chomt,* vient le *men,* plus tard *tehset,* que M. Lepsius traduit par fer. Il y a quelque incertitude sur cette interprétation, le nom du fer ne paraissant pas sur les monuments vis-à-vis des figures des objets qui semblent formés par ce métal. Il semble que ce soit là une preuve d'un caractère récent. Le fer, en effet, est rare et relativement moderne

dans les tombeaux égyptiens. Les peintures de l'ancien empire ne fournissent pas d'exemple d'armes peintes en bleu (fer), mais toujours en
rouge ou brun clair (airain). A l'origine, on se bornait à recouvrir les
casques et les cuirasses de cuir avec des lames et des bagues de fer ; ce
qui montre la rareté originelle du fer.

Tout ceci n'a rien de surprenant. On sait que la préparation du fer,
sa fusion, son travail sont beaucoup plus difficiles que ceux des autres
métaux. Aussi est-il venu le dernier dans le monde, où il a été connu
d'abord sous la forme de fer météorique. L'âge de fer succède aux
autres, dans les récits des poètes. L'usage du fer fut découvert après
celui des autres métaux, dit Isidore de Séville. On connut l'airain avant
le fer, d'après Lucrèce[3]. Les Massagètes ne connaissaient pas le fer,
suivant Hérodote ; les Mexicains et les Péruviens non plus, avant l'arrivée des Espagnols.

Les opinions que je viens d'exposer sur l'origine récente du fer en
Égypte sont les plus accréditées. Cependant, je dois dire que M.
Maspero ne les partage pas. Il pense qu'il existe des indices peu
douteux de l'emploi des outils de fer dans la construction des pyra-
mides et il a même trouvé du fer métallique dans la maçonnerie de ces
édifices.

§ 9. — LE PLOMB

Le *taht* ou plomb, le plus vulgaire de tous, termine la liste des
métaux figurés par les Égyptiens. On doit entendre sous ce nom, non
seulement le plomb pur, mais aussi certains de ses alliages.

D'après les alchimistes grecs, tels que le pseudo-Démocrite, le
plomb était le générateur des autres métaux ; c'était lui qui servait à
produire, par l'intermédiaire de l'un de ses dérivés, appelé magnésie
par les auteurs, les trois autres corps métalliques congénères, à savoir
le cuivre, l'étain et le fer.

Avec le plomb, on fabriquait aussi l'argent. Cette idée devait
paraître toute naturelle aux métallurgistes d'autrefois, qui retiraient
l'argent du plomb argentifère par coupellation.

§10. — L'ÉTAIN

L'étain, circonstance singulière, ne figure pas dans la liste de

Lepsius, bien qu'il entre dans la composition du bronze des vieux Égyptiens. Peut-être ne savaient-ils pas le préparer à l'état isolé. Il n'a été connu à l'état de pureté que plus tard, à l'époque des Grecs et des Romains. Mais il était d'usage courant au temps des alchimistes, comme en témoignent les recettes des papyrus de Leide. C'était l'une des matières fondamentales employées pour la prétendue fabrication ou transmutation de l'argent, dans ces papyrus, comme dans nos manuscrits. C'est pourquoi il convient de parler ici du *cassiteros* antique, mot dont le sens a changé, comme celui de l'airain, avec le cours des temps.

A l'origine, dans Homère par exemple, il semble que le *cassiteros* fut un alliage d'argent et de plomb, alliage qui se produit aisément pendant le traitement des minerais de plomb. Plus tard, le même nom fut appliqué à l'étain, ainsi qu'à ses alliages plombifères. De même, en hébreu, *bédil* signifie tantôt l'étain, tantôt le plomb, ou plutôt certains de ses alliages.

L'étain lui-même a été regardé d'abord comme une sorte de doublet du plomb ; c'était le plomb blanc ou argentin, opposé au plomb noir ou plomb proprement dit (Pline). Son éclat, sa résistance à l'eau et à l'air, ses propriétés, intermédiaires en quelque sorte entre celles du plomb et celles de l'argent, toutes ces circonstances nous expliquent comment les alchimistes ont pris si souvent l'étain comme point de départ de leurs procédés de transmutation. Une de ses propriétés les plus spéciales, le cri ou bruissement qu'il fait entendre lorsqu'on le plie, semblait la première propriété spécifique qu'on dût s'attacher à faire disparaître. Geber y insiste et les alchimistes grecs en parlent déjà.

Les alliages d'étain, tels que le bronze, l'orichalque (alliages de cuivre), et le *claudianon* (alliage de plomb), jouaient aussi un grand rôle autrefois. On remarquera que les alliages ont dans l'antiquité des noms spécifiques, comme les métaux eux-mêmes.

Rappelons encore que l'astre associé à l'étain à l'origine n'était pas la planète Jupiter, comme il est arrivé plus tard, mais la planète Mercure. Les lexiques alchimiques[4] portent la trace de cette première attribution. Le signe de Jupiter était assigné originairement à l'électrum. Cette planète d'ailleurs, ou plutôt son signe, paraît avoir possédé à un certain moment une signification générique ; car ce dernier est adjoint comme signe auxiliaire à celui du mercure, dans un lexique alchimique très ancien.

§ 11. — LE MERCURE

Le mercure, qui joue un si grand rôle chez les alchimistes, est ignoré dans l'ancienne Égypte. Mais il fut connu des Grecs et des Romains. On distinguait même le mercure natif et le mercure préparé par l'art, fabriqué en vertu d'une distillation véritable, que Dioscoride décrit. Sa liquidité, que le froid ne modifie pas, sa mobilité extrême, qui le faisait regarder comme vivant, son action sur les métaux, ses propriétés corrosives et vénéneuses sont résumées par Pline en deux mots : *liquor æternus, venenum rerum omnium* ; liqueur éternelle, poison de toutes choses. Son nom primitif est vif argent, eau argent, c'est-à-dire argent liquide. Le métal n'a pris le nom et le signe de mercure, c'est-à-dire ceux du corps hermétique par excellence, que pendant le moyen âge. Dans les papyrus grecs de Leide, recueillis à Thèbes en Égypte, le nom du mercure se trouve associé à diverses recettes alchimiques ; précisément comme dans nos manuscrits.

§ 12. — AUTRES SUBSTANCE CONGÉNÈRES DES MÉTAUX

Les minéraux bleus et verts sont les seuls qui soient inscrits en Égypte dans la liste des métaux. Cependant, il convient de faire aussi mention d'autres pierres précieuses égyptiennes, telles que :

- Le *chenem*, rubis, pierre rouge, émail ou verre rouge ;
- Le *nesem*, substance blanc clair ;
- Le *tehen,* topaze, jaspe jaune, émail ou verre jaune ; soufre en copte ;
- Le *hertès*, couleur blanche, quartz laiteux ; peut-être aussi stuc, émail blanc et autres corps équivalents au *titanos*, mot qui veut dire chaux en grec.

Ces substances, que nous rangerions aujourd'hui à côté du mafek et du chesbet, n'y figuraient cependant pas en Égypte : ce qui manifeste encore la diversité des conceptions des anciens, comparées aux nôtres.

§ 13. — LISTE ALCHIMIQUE DES MÉTAUX ET DE LEURS DÉRIVÉS

Pour compléter ce sujet et montrer l'étendue des rapprochements faits par les premiers alchimistes, il convient de citer une liste des corps associés à chaque métal (ek tôn metallicôn), la liste de ses dérivés, dirions-nous ; tous corps compris sous le signe fondamental du métal, comme on le ferait aujourd'hui dans un traité de chimie. Cette liste paraît fort ancienne, car elle précède immédiatement celle des mois égyptiens dans le Ms 2.327 (fol. 280) ; elle comprend les sept signes des métaux, assimilés aux sept planètes ; elle constate des rapprochements étranges.

A la vérité, le mot plomb est suivi par celui de la litharge et du claudianon (alliage de plomb et d'étain), qui s'y rattachent directement, et le mot fer par ceux de l'aimant et des pyrites.

Mais, d'autre part, le signe de l'étain *cassiteros* comprend en même temps le corail, toute pierre blanche, ce qui rappelle les émaux ; puis la sandaraque, le soufre et les analogues.

Sous le signe de l'or figurent, avec ce métal, l'escarboucle, l'hyacinthe, le diamant, le saphir et les corps analogues ; c'est-à-dire les pierres précieuses les plus brillantes et les plus chères.

Après le signe du cuivre *chalkos*, on lit la perle, l'onyx, l'améthyste, le naphte, la poix, le sucre, l'asphalte, le miel, la gomme ammoniaque, l'encens.

Le signe de l'émeraude comprend le jaspe, la chrysolithe, le mercure, l'ambre, l'oliban, le mastic. La place assignée au mercure est significative. En effet, ce métal n'apparaît pas comme chef de file dans la vieille liste des métaux ; mais il est rattaché à une rubrique antérieure, celle de l'émeraude (chesbet), dont il semble avoir pris plus tard la place dans la notation symbolique.

Enfin le signe de l'argent embrasse le verre, la terre blanche et les choses pareilles.

Cette liste établit, je le répète, des rapprochements curieux et dont la raison avec nos idées actuelles est difficile à expliquer. Il semble qu'il y ait là l'indice de quelque tableau général des substances, rangées sous un certain nombre de rubriques tirées des noms des métaux ; quelque chose comme les catalogues du blanc et du jaune attribués à Démocrite.

Les analogies qui ont présidé à la construction de semblables classifications sont difficiles à retrouver aujourd'hui. Cependant, rappelons-nous que l'emploi de signes et de mots compréhensifs a toujours existé en chimie. Ceux qui liront, dans quelques siècles, le mot générique *éther*, appliqué à des corps aussi dissemblables que l'éther ordinaire, le blanc de baleine, les huiles, la nitroglycérine, la poudre-coton, le sucre de canne, sans connaître les théories destinées à grouper tous ces corps, unis sous la définition d'une fonction commune, n'éprouveront-ils pas aussi quelque embarras ?

Quoi qu'il en soit, on remarquera que les pierres précieuses sont jointes aux métaux dans la vieille liste alchimique, aussi bien que dans la liste fondamentale des anciens Égyptiens. Les noms des métaux y comprennent en effet le plomb, l'étain, le fer, l'or, le cuivre, l'émeraude, l'argent : c'est la même association que celle des métaux égyptiens, d'après Lepsius.

§ 14. — LES LABORATOIRES

En quels lieux et par quels procédés préparait-on en Égypte les métaux et les substances brillantes, pierres précieuses artificielles et vitrifications, qui étaient assimilées aux métaux ? C'est ce que nous ne savons pas d'une manière précise. Agatharchide nous apprend, à la vérité, quels étaient les centres d'exploitation métallurgique. Mais il s'agit plutôt, dans son récit, de l'extraction des minerais métalliques et de leur traitement sur place, que des industries chimiques proprement dites. Celles-ci paraissent avoir été exercées en général au voisinage des sanctuaires de Ptah et de Serapis.

Les opérateurs qui s'occupaient de transmutation étaient les mêmes que ceux qui préparaient les médicaments. L'association de ces diverses connaissances a toujours relevé d'un même système général de théories. Aujourd'hui encore, les mêmes savants cultivaient à la fois la chimie minérale, science des métaux et des verres, et la chimie organique, science des remèdes et des teintures. En Égypte d'ailleurs, les procédés chimiques de tout genre étaient exécutés, aussi bien que les traitements médicaux, avec accompagnement de formules religieuses, de prières et d'incantations, réputées essentielles au succès des opérations comme à la guérison des maladies. Les prêtres seuls pouvaient accomplir à la fois les deux ordres de cérémonies, pratiques et magiques.

Cependant, jusqu'à présent, on n'a pas retrouvé la trace des vieux laboratoires qui devaient être consacrés à la fabrication des métaux, des verres et des pierres précieuses. Le seul indice que l'on en connaisse est dû à une observation de M. Maspero, dont il a bien voulu me confier le détail.

La découverte a été faite par des indigènes, à Drongah, à une demi-heure de marche au S-S-O de Siout, au pied de la montagne, dans un cimetière musulman, établi au milieu de l'un des quartiers de l'ancienne nécropole.

Dans une fouille faite pour chercher de l'or, et poursuivie jusqu'au sein de la roche même, on tomba sur une sorte de puits d'éboulement ; on rencontra au fond, à une profondeur de 12 à 13 mètres, une chambre funéraire, appartenant à une sépulture profonde et déjà violée. Là on pénétra dans une chambre ayant servi de laboratoire, et dont les parois étaient enfumées. On y trouva les objets suivants : un fourneau en bronze ; une porte en bronze, de 35 cm de hauteur, provenant d'un four plus grand ; environ cinquante vases de bronze munis d'un bec en rigole non fermée, chacun dans une sorte de cône tronqué, aussi en bronze, et dont l'orifice supérieur était plus large. Ce cône rappelle nos bains de sable ; mais l'usage des vases eux-mêmes est inconnu.

Il y avait aussi plusieurs cuvettes d'albâtre ; un vase arrondi, provenant de l'ancien empire, en diorite ou jaspe vert ; des cuillers en albâtre ; des objets en or à bas titre, pesant 96 dirhems, composés de morceaux ayant l'apparence de rubans en larges feuilles enroulées ; ainsi qu'un masque de momie, faussé et plié. Ces objets d'or offraient l'aspect d'objets pillés et préparés pour la fonte.

Le tout semble constituer un atelier du VIe au VIIe siècle de notre ère, ayant appartenu à un faux monnayeur ou à un alchimiste : c'était alors à peu près la même chose.

Dans un coin de la chambre, on aperçut une terre grasse et noirâtre que les assistants s'empressèrent d'emporter, disant qu'ils allaient s'en servir pour blanchir le cuivre : en d'autres termes, ils la regardaient comme de la poudre de projection, susceptible de changer le cuivre en argent. On voit par ce préjugé que la tradition secrète de l'alchimie n'est pas encore perdue dans l'Égypte moderne.

---

1. *Géorgiques*, III, 522.
2. *Ad nubes*, 768.
3. *De natura rerum*, V.
4. Dioscòride, V, 110.

CHAPITRE II – LA TEINTURE DES MÉTAUX

*A*insi les Égyptiens réunissaient dans une même liste et dans un même groupe les métaux vrais, leurs alliages et certains minéraux colorés ou brillants, les uns naturels, les autres artificiels. Les mêmes ouvriers traitaient les uns et les autres par les procédés de la cuisson, c'est-à-dire de la voie sèche. Les industries du verre, des émaux, des alliages étaient très développées en Égypte et en Assyrie, comme le montrent les récits des anciens et l'examen des débris de leurs monuments.

Cette assimilation entre les métaux et les pierres précieuses reposait à la fois sur les pratiques industrielles et sur les propriétés mêmes des corps. Elle paraît tirer son origine de l'éclat de la couleur, de l'inaltérabilité, communes à ces diverses substances. Les noms mêmes de certains métaux en grec et en latin, tels que l'électros, c'est-à-dire le brillant ; l'argent appelé *argyrion,* c'est-à-dire le blanc, en hébreu le pâle ; le nom de l'or, qui est aussi dit le brillant en hébreu, rappellent l'aspect sous lequel les métaux rares apparaissent d'abord aux hommes et excitent leur avidité. Dans la fusion accidentelle des minerais : produite au moment de l'incendie des forêts : « Ils les voyaient se solidifier à terre avec une couleur brillante et les emportaient, séduits par leur éclat[1]. » On les trouvait aussi dans le lit des rivières, associés aux pierres précieuses.

Les Égyptiens n'avaient, pas plus que les anciens en général, cette notion d'espèces définies, de corps doués de propriétés invariables, qui caractérise la science actuelle ; une telle notion ne remonte pas au delà du siècle présent en chimie. De là la signification multiple et variable des noms de substances employés dans le monde antique. Ceci étant admis, ainsi que la possibilité d'imiter plus ou moins parfaitement certains corps, d'après les expériences courantes sur les matières vitreuses et les alliages, on étendait cette possibilité à toutes, par une induction légitime en apparence. Les extractions de la plupart des métaux et les reproductions effectives des verres et des alliages ayant lieu en général par l'action du feu, à la suite de pulvérisations, fusions, calcinations, coctions plus ou moins prolongées on conçoit qu'on ait essayé d'opérer de même pour reproduire tous les métaux.

Ce n'est pas tout : l'imitation des pierres précieuses par les émaux et les verres présente des degrés fort divers. De même, les alliages varient dans leurs propriétés et sont plus ou moins ressemblants aux vrais métaux. Nous avons vu qu'il en était ainsi pour l'airain, qui a fini par devenir notre cuivre, mais qui signifiait aussi le bronze ; pour le *cassiteros*, qui a fini par devenir notre étain, mais qui signifiait aussi le laiton et les alliages plombifères.

On conçoit dès lors l'origine de cette notion des métaux imparfaits et artificiels, possédant la couleur, la dureté, un certain nombre des propriétés des métaux naturels parfaits, sans y atteindre complètement. Ainsi la fabrication du bronze couleur d'or figure dans les papyrus de Leide, aussi bien que dans nos manuscrits. Il s'agissait de compléter ces imitations pour faire du vrai or, du vrai argent, possédant toutes leurs propriétés spécifiques, de l'or naturel, comme dit Proclus. La prétention de doubler la proportion de l'or (ou celle de l'argent), en l'associant à un autre métal (*diplosis*), par des procédés dont il est question à la fois dans les papyrus de Leide, dans Manilius, et dans nos manuscrits ; cette prétention, dis-je, implique l'idée que l'or et l'argent étaient des alliages, alliages qu'il était possible de reproduire et de multiplier, en développant dans les mélanges une métamorphose analogue à la fermentation et à la génération.

On croyait pouvoir en même temps, par des tours de main convenables, modifier à volonté les propriétés de ces alliages. De telles modifications sont en effet susceptibles de se produire dans la pratique métallurgique, à l'aide de la trempe et par l'addition de certains ingrédients en petites quantités, comme le montre la fabrication des bronzes et des aciers.

Cette recherche était encouragée par des théories philosophiques plus profondes. C'est ici le lieu de rappeler les paroles de Bacon :

« En observant toutes les qualités de l'or, on trouve qu'il est de couleur jaune, fort pesant et d'une telle pesanteur spécifique, malléable et ductile à tel degré, etc., et celui qui connaîtra les formules et les procédés nécessaires pour produire à volonté la couleur jaune, la grande pesanteur spécifique, la ductilité, etc. ; celui qui connaîtra ensuite les moyens de produire ces qualités à différents degrés, verra les moyens et pourra prendre les mesures nécessaires pour réunir ces qualités dans tel ou tel corps : d'où résultera sa transmutation en or. »

Les Égyptiens opposent continuellement la substance naturelle et la substance produite par l'art : précisément comme il arrive dans les synthèses de la chimie organique de nos jours, où l'identité des deux ordres de matières exige constamment une démonstration spéciale.

L'idée principale des alchimistes grecs, dans les livres qu'ils nous ont laissés, c'est de modifier les propriétés des métaux par des traitements convenables, pour les teindre en or et en argent ; et cela, non superficiel-lement à la façon des peintres, mais d'une façon intime et complète. Ils étaient guidés dans cette recherche par les pratiques de leur temps. Les pratiques pour teindre les étoffes et les verres en pourpre, pour colorer le bronze en or et pour opérer la transmutation, sont en effet rapprochées dans les papyrus de Leide, aussi bien que dans le pseudoDémocrite.

Suivant les alchimistes grecs, la science sacrée comprend deux opé-rations fondamentales : la *xanthosis*, ou art de teindre en jaune, et la *leucosis* ou art de teindre en blanc ; les auteurs de nos manuscrits reviennent sans cesse sur ce sujet. Quelques-uns y joignent même la *mélanosis*, ou art de teindre en noir, et *l'iosis* ou art de teindre en violet. « L'art tinctorial, dit Pélage, n'a-t-il pas été inventé pour faire une tein-ture qui est le but de tout l'art ? »

D'après le même Pélage, les deux teintures ne diffèrent en rien, si ce n'est par la couleur ; la préparation en est la même, c'est-à-dire qu'il n'existe qu'une pierre philosophale. « C'est l'eau à deux couleurs, pour le blanc et pour le jaune. » Stéphanus dit pareillement : il y a plusieurs teintures, l'une pour le cuivre, l'autre pour l'argent, l'autre pour l'or, selon la diversité des métaux ; mais elles ne forment qu'une espèce. Nous possédons sous le nom de Démocrite, le double catalogue des espèces agissant sur l'or et l'argent et susceptibles d'être blanchies, c'est-à-dire teintes en argent ; ou bien jaunies, c'est-à-dire teintes en or ; puis de jouer le rôle de matières tinctoriales vis-à-vis des métaux.

Dans la *Bibliothèque des philosophes chimiques* de Salmon, ouvrage publié à la fin du XVIIe siècle et qui représente la science des alchimistes après quinze siècles de culture, la pierre philosophale est définie : « la médecine universelle pour tous les métaux imparfaits, qui fixe ce qu'ils ont de volatil, purifie ce qu'ils ont d'impur, et leur donne une teinture et un éclat plus brillant que dans la nature ». Cette idée d'une teinture, d'un principe colorant, d'une poudre de projection (*xerion*) douée d'un pouvoir tinctorial considérable, était conforme en effet aux analogies tirées de la teinture des étoffes, de celle des émaux et matières vitreuses. « La pourpre royale est extraite de l'orcanette (*anchusa*) et de l'orseille (*phycos*). On teint en jaune, après avoir teint en blanc, dans la teinture de l'or, de la soie, des peaux. Avant de teindre en pourpre, il faut blanchir d'abord. » On voit comment les alchimistes étaient à la fois guidés et égarés par les comparaisons empruntées aux fabrications industrielles.

De même une trace de cuivre, c'est-à-dire une seule et même matière colorante, peut teindre le verre en bleu ou en vert, suivant la nature des compositions et d'après des recettes déjà connues des anciens.

Ils trouvaient une confirmation de ces idées dans certaines observations des alchimistes, relatives à la teinture des métaux ; car il est, disent-ils, des agents qui blanchissent Vénus (tel le mercure qui blanchit le cuivre) ; mais c'est là une teinture imparfaite et qui ne résiste pas au feu. D'autres agents (le soufre, l'arsenic et leurs composés) jaunissent la lune, c'est-à-dire l'argent ; mais c'est encore là une imitation imparfaite.

On distinguait donc pour les métaux, comme pour les étoffes et les verres, les procédés propres à les teindre à fond et les procédés propres à les teindre superficiellement. Ainsi pour dorer le cuivre ou l'argent, c'est-à-dire pour teindre ces métaux à la surface, on employait la dorure par amalgamation, déjà connue de Vitruve ; ou bien on opérait au moyen d'un alliage d'or et de plomb. Au contraire, les procédés pour teindre les métaux à fond, dans leur masse et leur essence intime en quelque sorte, procédés congénères de la formation des alliages, tels que le bronze et le laiton, étaient réputés plus mystérieux.

Le nom même d'orpiment (*auri pigmentum*), qui désigne aujourd'hui le sulfure d'arsenic, mais qui avait une signification plus confuse pour les anciens, rappelle la teinture de l'or.

Ces analogies expliquent également pourquoi Démocrite, auteur d'ouvrages sur la teinture des verres et sur la teinture en pourpre, a été regardé plus tard comme l'inventeur de la teinture des métaux. Parmi les ouvrages que nous possédons, les mêmes traités s'occupent à la fois de la teinture des métaux, de celle des verres et de celle des étoffes.

On voit comment l'idée de la fabrication même des métaux et celle de la transmutation ont découlé des industries et des idées égyptiennes, relatives à la préparation des métaux, des alliages, des émaux, des verres et des étoffes colorées.

C'est même là ce qu'il y ait de plus clair dans les descriptions techniques des manuscrits. Ce n'en est pas moins une chose étrange et difficile à comprendre aujourd'hui qu'un tel mélange de recettes réelles et positives, pour la préparation des alliages et des vitrifications, et de procédés chimériques, pour la transmutation des métaux. Les uns et les autres sont exposés au même titre et souvent avec la même naïveté, dépouillée de tout attirail charlatanesque, dans les papyrus de Leide et dans certaines parties de nos manuscrits. Si les fourbes et les imposteurs ont souvent exploité ces croyances, il n'en est pas moins certain qu'elles étaient sincères chez la plupart des adeptes.

Ici s'élève une question singulière.

Comment cette expérience qui prétendait à un résultat positif et tangible et qui échouait toujours, en définitive, a-t-elle pu rencontrer une foi si persistante et si prolongée ? C'est ce que l'on s'expliquerait difficilement, si l'on ne savait avec quelle promptitude l'esprit humain embrasse tout préjugé qui flatte ses espérances de puissance ou de richesse, et avec quelle ardeur crédule il y demeure obstinément attaché. Les prestiges de la magie, les prédictions de l'astrologie, associées de tout temps à l'alchimie, ne sont pas moins chimériques.

Cependant, ce n'est que de nos jours et en Occident seulement qu'elles ont perdu leur autorité aux yeux des esprits cultivés. Encore les spirites et les magnétiseurs sont-ils nombreux, même en Europe.

Les succès de l'alchimie et sa persistance se rattachent aussi à des causes plus philosophiques. En effet, l'alchimie ne consistait pas seulement dans un certain ensemble de recettes destinées à enrichir les hommes ; mais les savants qui l'avaient cultivée, au temps des Alexandrins, avaient essayé d'en faire une science véritable et de la rattacher au système général des connaissances de leur temps. Il convient donc maintenant de s'élever plus haut et d'examiner les théories par lesquelles les alchimistes justifiaient leurs procédés et dirigeaient leurs expériences. Ces théories sont d'ordre métaphysique : elles sont liées de la façon la plus intime avec les idées des anciens sur la nature et sur la matière.

---

1. *De natura rerum*, I. V.

LIVRE QUATRIÈME : LES THÉORIES

CHAPITRE PREMIER – THÉORIES GRECQUES

§ 1. — INTRODUCTION

L'alchimie n'est pas sortie uniquement et sans mélange du monde égyptien. C'est après la fusion de la civilisation grecque et de la civilisation égyptienne, à Alexandrie, et au moment de leur dissolution finale, que nous voyons apparaître les premiers écrits alchimiques. On y trouve un étrange amalgame de notions d'origine diverse. à côté de descriptions et de préceptes purement empiriques, empruntés à la pratique des industries chimiques dans l'antiquité, à côté des imaginations mystiques, d'origine orientale et gnostique, que nous avons rapportées, on y rencontre tout un corps de doctrines philosophiques, issues des philosophes grecs, et qui constituent à proprement parler la théorie de la nouvelle science. Le double aspect à la fois positif et mystique de la chimie, la signification profonde des transformations dont elle étudie les lois, se montrent ici tout d'abord. Ces rapprochements philosophiques ne sont pas arbitraires ; on y est conduit par le texte même des alchimistes grecs. Non seulement ils se rattachent à Démocrite, en vertu d'une tradition suspecte ; mais Zosime est un gnostique, imprégné des idées de Platon dont il avait écrit la vie. Les premiers auteurs dont les noms se retrouvent dans l'histoire de leur temps, tels que Synésius, Olympiodore, Stéphanus, sont des philosophes proprement dits, appartenant à l'école néoplatonicienne. Olympiodore et Stéphanus citent les pythagoriciens, l'école ionienne et l'école éléate, écoles qu'ils connaissaient fort bien. Leurs scoliastes, le Philosophe Chrétien et l'Anonyme, commentent les mêmes sources. Les idées de ces premiers alchimistes ont passé depuis aux Arabes, puis aux Occidentaux ; or, je le répète, elles se rattachent par des liens incontestables à celles de l'école ionienne et surtout aux idées de Platon ; je donnerai tout à l'heure sur ces deux points des preuves démonstratives.

Citons dès à présent la lettre écrite au XIe siècle par Michel Psellus au patriarche Xiphilin, laquelle sert en quelque sorte de préface au recueil des alchimistes grecs : « Tu veux que je te fasse connaître cet art qui réside dans le feu et les fourneaux et qui expose la destruction des matières et la transmutation des natures. Quelques-uns croient que c'est là une connaissance d'initié, tenue secrète, qu'ils n'ont pas tenté de ramener à une forme rationnelle ; ce que je regarde comme une énormité. Pour moi, j'ai cherché d'abord à connaître les causes et à en tirer une explication rationnelle des faits. Je l'ai cherchée dans la nature des quatre éléments, dont tout vient par combinaison et en qui tout retourne par dissolution... J'ai vu dans ma jeunesse la racine d'un chêne changée en pierre, en conservant ses fibres et toute sa structure, participant ainsi des deux natures », c'est-à-dire du bois et de la pierre. Ce que Psellus attribue à l'effet de la foudre. Puis il cite, d'après Strabon, les propriétés d'une fontaine incrustante qui reproduisait les formes des objets immergés. « Ainsi les changements de nature peuvent se faire naturellement, non en vertu d'une incantation ou d'un miracle, ou d'une formule secrète. Il y a un art de la transmutation. J'ai voulu t'en exposer tous les préceptes et toutes les opérations. La condensation et la raréfaction des matières, leur coloration et leur altération : ce qui liquéfie le verre, comment l'on fabrique le rubis, l'émeraude ; quel procédé naturel amollit toutes les pierres : comment la perle se dissout et s'en va en eau ; comment elle se coagule et se forme en sphère ; quel est le procédé pour la blanchir ; j'ai voulu réduire tout cela aux préceptes de l'art. Mais comme tu ne permets pas que nous nous arrêtions à des choses superflues, tu veux que je me borne à expliquer par quelles matières et à l'aide de quelle science on peut faire de l'or. Tu en veux connaître le secret, non pour avoir de grands trésors, mais pour pénétrer dans les secrets de la nature ; pareil aux anciens philosophes, dont le prince est Platon. Il a voyagé en Égypte, en Sicile, dans les diverses parties de la Libye, pour voir le feu de l'Etna et les bouches du Nil et la pyramide sans ombre et les cavernes souterraines, dont la raison fut enseignée aux initiés... nous te révélerons toute la sagesse de Démocrite d'Abdère, nous ne laisserons rien dans le sanctuaire. »

Ce que les théologiens, (c'est-à-dire les philosophes purs), entendent des choses divines, les physiciens (c'est-à-dire les philosophes naturalistes), l'entendent de la matière, dit l'un de nos auteurs alchimiques. C'est l'éternelle lutte des métaphysiciens contre les philosophes de la nature : ils parlent souvent le même langage en apparence et emploient les mêmes symboles, mais avec une signification bien différente. Ainsi l'alchimie était pour ses adeptes une science positive et une philosophie ; elle s'appuyait sur les doctrines des sages de la Grèce.

Précisons cette filiation.

§ 2. — LES PREMIERS PHILOSOPHES NATURALISTES

Thalès de Milet (vers 600 av. J.-C.) et l'École ionienne à sa suite dégagèrent les premiers la conception scientifique de la nature, du langage mythique, sous lequel elle était enveloppée par le symbolisme religieux de l'Orient. D'après Thalès, qui semble avoir tiré ses opinions des mythes babyloniens, l'eau est la matière première dont tout est sorti.

Anaximène (VIe siècle avant l'ère chrétienne), guidé par une première vue des phénomènes généraux de la nature, soutient de son côté que l'air est le principe des choses : raréfié, il devient du feu ; condensé, il forme successivement les nuages, l'eau, la terre, les pierres.

A ces notions un peu vagues, tirées d'une première vue de la nature, succèdent des aperçus plus profonds. Parménide et les Éléates, cités par Zosime et suivis par Chymès, admettent la permanence de la substance primordiale. Tout se réduit à une essence unique, éternelle, immobile. Les alchimistes disent de même : le tout vient du tout, voilà toute la composition. C'est ce qu'expriment plus fortement encore les axiomes mystiques inscrits dans les cercles concentriques du serpent : « Un est le tout, par lui le tout est ; si le tout ne contient pas le tout, il n'est pas le tout ».

Héraclite (vers l'an 500) est frappé, au contraire, par l'aspect du changement nécessaire des choses. Le feu se change en eau par condensation ; et l'eau en terre ; la terre de son côté redevient liquide, et celle-ci évaporée reproduit le feu, etc. Ainsi jamais rien ne subsiste en sa forme. Rien ne demeure, tout devient et se transforme, tout est créé continuellement par les forces agissantes dans l'écoulement des phénomènes. L'apparence de la persistance tient à ce que les parties qui s'écoulent d'un côté sont remplacées de l'autre par l'afflux d'autres parties dans la même proportion. Ce qui vit et se meut dans la nature, c'est le feu, l'âme ou souffle, principe mobile et perpétuellement changeant, substance première des choses.

Ces idées ressemblent étrangement à celles qui servent aujourd'hui de fondement à nos théories physiques sur l'échange incessant des éléments dans leurs composés, sur la transformation des forces et sur la théorie mécanique de la chaleur.

Empédocle (au milieu du Ve siècle avant J.-C.) précise davantage et cherche à concilier la permanence des substances avec le changement perpétuel des apparences. Ce qui nous apparaît comme le commencement ou la fin d'un être n'est qu'une illusion ; en réalité, il n'y a rien que mélange, réunion, combinaison, opposés à la séparation, à la décomposition. Les éléments dont toutes choses sont composées consistent dans quatre substances différentes, incréées et impérissables : la terre, l'eau, l'air et le feu. Empédocle est le fondateur de la doctrine des quatre éléments, déjà entrevue par ses prédécesseurs, mais à laquelle il a donné sa formule définitive. Cette doctrine a présidé à toute la chimie jusqu'à la fin du siècle dernier.

Les quatre éléments répondent en effet aux apparences et aux états généraux de la matière. La terre est le symbole et le support de l'état solide et de la sécheresse. L'eau, obtenue soit par fusion ignée, soit par dissolution, est le symbole et le support de la liquidité et même du froid. L'air est le symbole et le support de la volatilité et de l'état gazeux. Le feu, plus subtil encore, répond à la fois à la notion substantielle du fluide éthéré, support symbolique de la lumière, de la chaleur, de l'électricité, et à la notion phénoménale du mouvement des dernières particules des corps. C'étaient donc là, pour Empédocle et ses successeurs, les éléments de toutes choses. Ainsi Aristote nous dit : « la chair, le bois renferment de la terre et du feu en puissance, que l'on peut en séparer[1]. »

Les alchimistes désignaient les quatre éléments par un seul mot : la *tetrasomia*, laquelle représentait la matière des corps. Ils rangeaient ces derniers en plusieurs classes ou catégories, selon qu'ils participent plus ou moins de l'un des éléments. Au feu se rattachent les métaux et ce qui résulte de l'art de la coction (voie ignée) ; à l'air, les animaux qui y vivent ; à l'eau, les poissons ; à la terre, les plantes, etc. L'établissement des catalogues de ces quatre classes était attribué à Démocrite, affirmation qui n'a rien d'invraisemblable. Ces idées rappellent celles de Stahl et de ses contemporains sur le phlogistique et sur les corps qui s'y rattachent, tels que les métaux et les combustibles.

Pour préciser davantage, il m'a paru utile de traduire *in extenso* le passage dans lequel Olympiodore s'en réfère formellement aux conceptions des premières écoles grecques et les met en parallèle avec les théories des alchimistes.

« Le feu est le premier agent, celui de l'art tout entier. C'est le premier des quatre éléments. En effet le langage énigmatique des anciens sur les quatre éléments se rapporte à l'art. Que ta vertu examine avec soin les quatre livres de Démocrite sur les quatre éléments ; il s'agit de physique.

« Il parle tantôt du feu doux, tantôt du feu violent et du charbon et de tout ce qui a besoin de feu ;

« Puis de l'air, de tout ce qui dérive de l'air, des animaux qui vivent dans l'air ;

« Pareillement des eaux, de la bile des poissons, de tout ce qui se prépare avec les poissons et l'eau ;

« De même, il parle de la terre et de ce qui s'y rattache, les sels, les métaux, les plantes.

« Il sépare et classe chacun de ces objets, d'après la couleur, les caractères spécifiques et sexuels, mâle ou femelle.

« Sachant cela, tous les anciens voilèrent l'art sous la multiplicité des paroles. L'art en effet a complètement besoin de ces données ; en dehors d'elles rien de sûr. Démocrite le dit, on ne pourra rien constituer de solide sans elles. Sache donc que selon ma force j'ai écrit, étant faible non seulement par le discours, mais aussi par l'esprit ; et je demande que par vos prières vous empêchiez que la justice divine ne s'irrite contre moi pour avoir eu l'audace d'écrire cet ouvrage, et qu'elle me soit propice de toute manière.

« Les écrits des Égyptiens, leurs poésies, leurs doctrines, les oracles des démons, les expositions des prophètes traitent du même sujet...

« Éprouve maintenant ta sagacité. On a employé plusieurs noms pour l'eau divine. Cette eau divine désigne ce que l'on cherche et l'on a caché l'objet de la recherche sous le nom d'eau divine. Je vais te montrer un petit raisonnement, écoute, (toi qui es) en possession de toute vertu ; car je connais le flambeau de ta pensée et le bien tutélaire ; je veux placer devant tes yeux l'esprit des anciens. Philosophes, ils en tiennent le langage et ils sont venus à l'art par la sagesse, sans voiler en rien la philosophie ; ils ont tous écrit clairement. En quoi ils ont manqué à leur serment, car leurs écrits traitent de la doctrine et non des œuvres pratiques.

« Quelques-uns des philosophes naturalistes rapportent aux principes le raisonnement sur les éléments, attendu que les principes sont quelque chose de plus général que les éléments. En effet au principe premier se ramène tout l'ensemble de l'art. Ainsi Agathodémon, ayant placé le principe dans la fin et la fin, dans le principe, veut que ce soit le serpent Ouroboros... cela est évident, ô initié...

« Agathodémon, quel est-il ? Les uns croient c'est un ancien, un des plus vieux personnages qui se sont occupés de philosophie en Égypte ; d'autres disent que c'est un ange mystérieux, bon génie de l'Égypte ; d'autres l'ont appelé le ciel, et peut-être dit-on ceci parce que le serpent est l'image du monde. En effet, certains hiérogrammates égyptiens, voulant retracer le monde sur les obélisques, ou l'exprimer en caractères sacrés, dessinent le serpent Ouroboros ; son corps est constellé d'astres. C'est, m'a-t-on dit, parce qu'il est le principe. Telle est l'opinion exposée dans le livre de la chimie, où l'on en retrace la figure.

« Je cherche maintenant comment il se fait que le principe soit chose plus universelle que les éléments. Disons ce qui est pour nous un élément et en même temps ce qu'est le principe.

« Les quatre éléments sont le principe des corps, mais tout principe n'est pas pour cela un élément. En effet, le divin, l'œuf, l'intermédiaire, les atomes sont pour certains (philosophes) les principes des choses ; mais ce ne sont pas des éléments.

« Cherchons donc, d'après certains signes, quel est le principe des choses, s'il est un ou multiple. S'il est unique, est-il immobile, infini, ou déterminé ? S'il y a plusieurs principes, les mêmes questions se posent : sont-ils immobiles, déterminés, infinis ? Les anciens ont admis un principe de tous les êtres unique, immobile et infini. Thalès de Milet parle de l'œuf — il s'agit de l'eau divine et de l'or ; — c'est un principe un, beau, immobile ; il est exempt de tout mouvement apparent ; il est de plus infini, doué de puissance infinie et nul ne peut dénombrer ses puissances.

« Parménide prend aussi pour principe le divin, principe unique, immobile, à puissance déterminée ; il est, dit-il, un, immobile, et l'énergie qui en dérive est déterminée.

« On remarque que Thalès de Milet, considérant l'existence du dieu, le dit infini et doué de puissance infinie. Dieu est doué en effet d'une puissance infinie. Parménide dit que pour ses productions le dieu n'a qu'une puissance déterminée ; partout en effet il est évident que ce que dieu produit répond à une puissance limitée. Les (choses) périssables répondent à une puissance limitée, à l'exception des choses intellectuelles.

« Ces deux hommes, je veux dire Thalès de Milet et Parménide, Aristote semble les rejeter du chœur des physiciens. En effet, ce sont des théologiens, s'occupant de questions étrangères à la physique et s'attachant à l'immobile ; tandis que toutes les choses physiques se meuvent. La nature est le principe du mouvement et du repos.

« Thalès a admis l'eau comme principe unique, déterminé des choses, parce qu'elle est féconde et plastique. Elle est féconde, puisqu'elle donne naissance aux poissons ; et plastique, puisqu'on peut lui communiquer la forme qu'on veut : dans quelque vase qu'on la mette, elle en prend la forme, que le vase soit poli, en terre cuite, triangulaire ou quadrangulaire, ou ce que tu voudras. Ce principe (unique) est mobile ; l'eau se meut en effet, elle est déterminée et non pas éternelle.

« Diogène soutint que le principe est l'air, parce qu'il est riche et fécond ; car il engendre les oiseaux. L'air, lui aussi, se montre plastique ; on lui donne la forme qu'on veut. Mais il est un, mobile et non éternel.

« Héraclite et Hippasus ont soutenu que le feu est le principe de tous les êtres, parce qu'il est l'élément actif de toutes choses. Un principe doit en effet être la source de l'activité des choses issues de lui. Comme quelques-uns le disent, le feu est aussi fécond ; car les animaux naissent dans l'échauffement.

« Quant à la terre, nul n'en a fait le principe, sinon Xénophane de Colophon. Comme elle n'est pas féconde, nul n'en a fait un élément. Et que celui qui est en possession de toute vertu remarque que la terre n'est pas signalée comme un élément par les philosophes, parce qu'elle n'est pas féconde. Ceci se rapporte à notre recherche. En effet, Hermès associe l'idée de la terre à celle de la vierge non fécondée.

« Anaximène professe que le principe des choses, infini et mobile, est l'air. Il parle ainsi : l'air est voisin de l'incorporel et nous jouissons de son effluve ; il faut qu'il soit infini pour produire, sans jamais rien perdre.

« Anaximandre dit que le principe est l'intermédiaire ; ce qui désigne les vapeurs humides et les fumées. La vapeur humide est intermédiaire entre le feu et la terre ; c'est, en un mot, l'intermédiaire entre le chaud et l'humide. La fumée est intermédiaire entre le chaud et le sec.

« Venons à l'opinion de chacun des anciens et voyons comment chacun veut diriger à son point de vue son enseignement. Çà et là quelque omission a eu lieu, par suite de la complication des discours.

« Récapitulons par parties et montrons comment nos philosophes (alchimiques), empruntant à ceux-là le point de départ, ont construit notre art de la nature.

« Zosime, la couronne des philosophes, dont le langage a l'abondance de l'océan, le nouveau devin, suivant en général Mélissus sur l'art, dit que l'art est un, comme Dieu. C'est ce qu'il expose à Théosèbie en d'innombrables endroits et son langage est véridique. Voulant nous affranchir des faux raisonnements et de toute la matière, il nous exhorte à chercher notre refuge dans le dieu un. Il parle ainsi à cette femme philosophe : assieds-toi là, reconnaissant que Dieu est unique et l'art unique, et ne va pas errer en cherchant un autre dieu ; car Dieu viendra près de toi, lui qui est partout, et non confiné dans le lieu le plus bas, comme le démon. Repose ton corps et calme tes passions ; tu appelleras alors à toi le divin, et l'essence divine partout répandue viendra à toi. Quand tu te connaîtras toi-même, tu connaîtras aussi l'essence du dieu unique. Agissant ainsi, tu atteindras la vérité et la nature, méprisant la matière.

« De même, Chymès suit Parménide, et dit « un est le tout ; par lequel le tout est ; car s'il ne contenait pas le tout, le tout ne serait rien. »

« Les théologiens parlent sur les questions divines, comme les physiciens sur la matière.

« Agathodémon, tourné vers Anaximène, voit l'absolu dans l'air. Anaximandre a dit que cet absolu était l'intermédiaire, c'est-à-dire la vapeur humide et la fumée. Pour Agathodémon c'est tout à fait la vapeur sublimée. Zosime et la plupart des autres ont suivi cette opinion, lorsqu'ils ont fait la philosophie de notre art.

« Hermès aussi parle de la fumée, à propos de la *magnésie*. Sépare-les, dit-il, en face du fourneau... la fumée des « *Kobathia* » étant blanche, blanchit les corps (métaux). La fumée est intermédiaire entre le chaud et le sec, et ici se place la vapeur sublimée et tout ce qui en résulte. La vapeur humide est intermédiaire entre le chaud et l'humide ; elle désigne les vapeurs sublimées humides, celles que distillent les alambics et les analogues. »

Telles étaient les idées des alchimistes sur la constitution de la matière. Mais leurs opinions variaient, aussi bien que celles des philosophes grecs, sur le rôle naturel et les transformations réciproques des éléments.

Empédocle, nous l'avons dit, regardait les éléments comme subsistant par eux-mêmes. Leurs mélanges et leurs séparations donnent lieu à tous les corps naturels ; mais eux-mêmes ne deviennent pas, c'est-à-dire qu'ils ne sont pas susceptibles d'être formés. Au contraire, d'autres philosophes imaginent, conformément aux idées des Ioniens, que les éléments se changent les uns dans les autres : « Joignant l'air au feu, la terre à l'eau, ils admettent d'abord que le feu se change en air, celui-ci en eau, l'eau en terre ; et tous les éléments, par une marche inverse, résultent à leur tour de la terre. »

> *Et primum faciunt ignem se vertere in auras*
> *Æris, hinc imbrem gigni, terramque creari*
> *Ex imbri, retroque a terra cuncta reverti²*.

Ces notions générales prennent dans les Pythagoriciens une forme en apparence plus précise. En effet, à ces aperçus un peu vagues, ils opposent des conceptions mathématiques et géométriques.

Ils dérivent tout de l'unité, envisagée comme génératrice des nombres, c'est-à-dire des êtres. Zosime et les alchimistes expriment par les mêmes formules la parfaite fabrication de la poudre de projection.

Les combinaisons numériques étaient complétées, de même que dans nos sciences modernes, par la géométrie. En effet, d'après Philolaüs (vers 450 avant J.-C.), la terre est constituée par le cube, le feu par le tétraèdre, l'air par l'octaèdre, l'eau par l'icosaèdre, et le cinquième élément, qui comprend les autres et qui en est le lien, par la dodécaèdre. Le cinquième élément semble reparaître dans Aristote, quoique d'une façon plus contestable. Stéphanus en parle aussi, et il est devenu au moyen âge l'origine de la quintessence des alchimistes.

Platon reproduit toutes ces idées des Pythagoriciens, et nous les trouvons exposées en détail dans Stéphanus d'Alexandrie. Elles rappellent nos conceptions actuelles sur la structure des corps : structure cristalline, qui est un fait positif ; structure atomique, qui est une fiction représentative.

L'esprit humain a besoin de créer à ses conceptions une base immuable et sensible, cette base fut elle purement fictive. Les éléments mobiles et transformables d'Héraclite, étaient déjà devenus les éléments fixes d'Empédocle, et ceux-ci avaient pris une forme figurée et visible, aux yeux des Pythagoriciens.

Voici comment l'esprit grec fut conduit aux doctrines des atomistes, Leucippe et Démocrite (fin du Ve et commencement du IVe siècle avant notre ère). D'après ceux-ci, l'être consiste dans un nombre infini de petits corpuscules ou atomes, indestructibles et insécables, qui se meuvent dans le vide. Ils constituent la matière en soi, la substance multiple qui remplit l'espace. Les atomes se distinguent entre eux par leur forme, par leur grandeur, leur ordre, leur situation. Les combinaisons des atomes et leur séparation sont la cause de la production et de la destruction. « Les mêmes éléments constituent le ciel, la mer, les terres, les fleuves, le soleil ; les mêmes atomes constituent aussi les fruits de la terre, les arbres, les animaux ; mais ils se meuvent et se mélangent entre eux de diverses manières[3].» Leurs arrangements divers, leurs mouvements, leurs permutations constituent toutes choses. Ce sont les atomes qui sont les principes des éléments : le feu est formé d'atomes ronds et petits ; tandis que les autres éléments sont un mélange d'atomes de diverses espèces et de différentes grandeurs. La théorie atomique, adoptée plus tard par les épicuriens, est venue jusqu'à nous, et elle est encore professée aujourd'hui par la plupart des chimistes. Il semble donc que ce soit par une sorte d'affinité naturelle que les alchimistes aient rapporté leurs origines à Démocrite.

Cependant, en fait, c'est l'expérimentateur et le magicien, plutôt que le philosophe théoricien, qui est visé par eux. En effet, dans les écrits des alchimistes grecs, comme dans ceux du moyen âge, il n'est pas question de la théorie atomique, contrairement à ce que l'on aurait pu croire. Le nom même d'atome n'est pour ainsi dire jamais prononcé par eux, et en tout cas, jamais commenté. On sait d'ailleurs que les doctrines épicuriennes et stoïciennes, qui ont joué un si grand rôle à Rome, sont presque ignorées à Alexandrie. C'est à l'école ionienne, aux pythagoriciens et surtout à Platon, que les alchimistes se rattachent, par une tradition constante et par des théories expresses ; théories qui sont venues jusqu'à la fin du XVIIIe siècle.

§ 3. — LES PLATONICIENS — LE TIMÉE

Les théories des alchimistes ont un caractère étrange ; elles s'écartent tellement de nos idées actuelles, qu'elles ne peuvent guère être comprises, à moins de remonter à leurs origines et aux conceptions de leurs contemporains. Or, ceux-ci ne sont autres que les Alexandrins et les néoplatoniciens, vers le temps de Dioclétien et de Théodose, c'est-à-dire vers les IIIe et IVe siècles, ainsi que je l'ai établi plus haut. C'est donc aux idées que les philosophes se faisaient de la matière à cette époque, idées dérivées de celles de Platon, qu'il convient de nous reporter.

Les opinions des alchimistes grecs ont une affinité singulièrement frappante avec celles que Platon exprime dans le *Timée* ; il est facile de le vérifier, en comparant les théories de Platon avec celles de Zosime, de Synésius, et surtout de Stéphanus d'Alexandrie.

D'après Platon[4], il convient de distinguer d'abord la matière première. « La chose qui reçoit tous les corps ne sort jamais de sa propre matière ; elle est le fonds commun de toutes les matières différentes, étant dépourvue de toutes les formes qu'elle doit recevoir d'ailleurs. » Il l'a comparée aux liquides inodores, destinés à servir de véhicule aux parfums divers. Elle n'est par elle-même ni terre, ni air, ni feu, ni eau, ni corps né de ces éléments. Cette matière première reçoit ainsi les formes des quatre éléments, avec lesquels Dieu compose le monde. Il la compose avec le feu, sans lequel rien de visible ne peut jamais exister ; avec la terre, sans laquelle il ne peut y avoir rien de solide et de tangible ; entre deux et pour les lier, il a placé l'eau et l'air. Ces éléments ont eux-mêmes une forme géométrique, qui ne leur permet de s'assembler entre eux que suivant certains rapports. Platon reproduit ici les énoncés de Philolaüs, d'après lequel la terre est le cube, l'eau l'icosaèdre, l'air l'octaèdre. Les corpuscules du feu sont les plus petits, les plus aigus, les plus mobiles, les plus légers. Ceux de l'air le sont moins ; ceux de l'eau, moins encore.

Nous verrons tout à l'heure Stéphanus, au VIIe siècle de notre ère, revenir sur ces idées ; on en retrouve encore le reflet dans les imaginations des chimistes du XVIIe siècle sur les causes de la combinaison des acides avec les alcalis. Les théories de l'école atomiste, même de nos jours, invoquent des représentations géométriques analogues.

Les éléments de Platon semblent pouvoir être changés les uns dans les autres. En effet, dit encore Platon, « nous croyons voir que l'eau se condensant devient pierre et terre ; en se fondant et se divisant, elle devient vent et air ; l'air enflammé devient du feu ; le feu condensé et éteint reprend la forme d'air ; l'air épaissi se change en brouillard, puis s'écoule en eau ; de l'eau se forment la terre et les pierres. »

Les quatre éléments s'engendrent d'ailleurs périodiquement. Ceci vient sans doute de ce qu'il faut voir là seulement les manifestations diverses de la matière première. Platon ne le dit pas expressément ; mais Proclus, dans son commentaire sur le *Timée,* explique que « les choses ne pouvant jamais conserver une nature propre, qui oserait affirmer que l'une d'elles est telle plutôt que telle autre ? »

C'est en conformité avec ces idées que Geber, le maître des alchimistes arabes au VIIIe siècle, expose que l'on ne saurait opérer la transmutation des métaux, à moins de les réduire à leur matière première.

Les éléments ou corps primitifs de Platon sont répandus dans les corps naturels, sans qu'aucun de ceux-ci réponde exactement à tel ou tel élément. « Nous donnerons le nom de feu à l'apparence du feu répandue dans toutes sortes d'objets ; de même le nom l'eau, etc. Quand nous voyons quelque chose qui passe sans cesse d'un état à l'autre, le feu par exemple, nous ne devons pas dire que cela est du feu, mais qu'une telle apparence est celle du feu ; ni que cela est de l'eau, mais qu'une telle apparence est celle de l'eau... Si quelqu'un formait en or toutes les figures imaginables, ne cessait de changer chacune d'elles dans toutes les autres et, en montrant une de ces formes, demandait ce que c'est, la réponse la plus sûre serait que c'est de l'or. Il en est de même de la chose qui reçoit tous les corps. Elle reçoit tous les objets, sans changer sa propre nature ; elle est le fond commun de toutes les matières différentes, sans avoir d'autres formes ou mouvements que ceux des objets qui sont en elle. »

Une conception pareille, avec le même vague et le même caractère compréhensif, présidait à la définition du phlogistique de Stahl au XVIIIe siècle. Ce phlogistique représente par excellence la matière du feu, envisagée en elle-même et isolément, et il représente cette même matière existant dans les corps combustibles, tels que l'hydrogène, le charbon, le soufre, les métaux. Les idées platoniciennes ont donc eu cours, sur ce point, jusqu'au moment de la fondation de la chimie moderne.

Au XIXe siècle même, c'est-à-dire de nos jours, le mot feu a présenté quatre sens, savoir :

- Le calorique, c'est-à-dire l'élément igné, le prétendu fluide impondérable, réputé constituer la matière du feu, distincte de celle des corps ;
- La matière du corps en combustion : « Ne touchez pas au feu ; le feu central »;
- L'état actuel, c'est-à-dire statique, du corps en combustion : « La maison parut toute en feu » ;
- Enfin l'acte même de l'inflammation, de la combustion, envisagé en soi et dans son évolution dynamique :

« propagation du feu, mise de feu, etc., éteindre le feu. » Ces deux derniers sens se touchent.

De même, dans les écrits alchimiques, le mot eau présente quatre significations :

- L'élément supposé, dont l'union avec les corps leur communiquerait l'état liquide, c'est-à-dire l'élément liquide, la matière de la liquidité en général.
- La matière particulière actuellement liquide ou liquéfiable, telle que l'eau, les métaux fusibles ;
- L'état actuel et statique de la substance en fusion ;
- Enfin l'acte dynamique de la liquéfaction en général, c'est-à-dire la fusion même s'accomplissant, envisagée dans son évolution dynamique ; idée congénère de la précédente.

Ces notions peuvent paraître subtiles ; mais si l'on ne s'y reporte, on ne peut comprendre ni Platon, ni les anciens alchimistes. Pénétrons plus avant dans les doctrines du *Timée* sur la composition des corps. Il s'agit ici, comme Platon a soin de l'expliquer, de conceptions qui lui sont personnelles et qu'il expose pour ainsi dire en se jouant. Cependant, elles semblent avoir des racines plus anciennes et plus générales. Le langage et les idées des alchimistes s'y rattachent d'ailleurs de la façon la plus directe. Il s'agit des diverses manifestations des quatre éléments.

Commençons par le feu. D'après le *Timée* : « Il s'est formé plusieurs espèces de feu, la flamme, ce qui en sort et qui donne sans brûler de la lumière aux yeux, et ce qui reste dans les corps enflammés après que la flamme est éteinte.

« De même dans l'air, il y a la partie la plus pure qu'on nomme éther, la plus trouble qu'on nomme brouillard et nuages, et d'autres espèces sans nom.

« L'eau se divise d'abord en deux espèces, celle qui est liquide et celle qui est fusible. L'espèce liquide, composée de parties d'eau petites et inégales, peut être facilement mue par elle-même et par d'autres corps. L'espèce fusible, composée de parties grandes et pareilles, est plus stable, pesante, compacte ; le feu la pénètre et la dissout et elle coule ; mais s'il se retire, la masse se resserre, se rétablit dans son identité avec elle-même et elle se congèle. De tous ces corps que nous avons nommés eaux fusibles, celui qui se forme des parties les plus petites et qui a le plus de densité, ce genre dont il n'y a point plusieurs espèces, dont la couleur est un jaune éclatant, le plus précieux des trésors, l'or, s'est condensé, en se filtrant à travers la pierre. L'espèce d'eau fusible qui s'est formée par la réunion de parties presque aussi petites que celles de l'or, mais qui a plusieurs espèces, qui surpasse l'or en densité, qui renferme une petite partie de terre très ténue et qui est pour cette raison plus dure que l'or, mais qui est plus légère à cause des grands intervalles qui se trouvent dans sa masse, c'est un genre d'eau brillante et condensée que l'on nomme airain. Mais lorsque, avec le temps, la partie de terre qu'il contient se sépare de lui, devenue fusible par elle-même, elle prend le nom de rouille. »

On reconnaît ici les eaux de Zosime le Panopolitain et des premiers alchimistes, ainsi que la signification cachée sous ces étranges paroles que nous avons reproduites plus haut.

Platon dit encore, dans un langage facile à entendre : « L'eau mêlée de feu, celle qui, déliée et fluide, reçoit, à cause de ce mouvement, le nom de liquide... cette eau, lorsqu'elle est séparée du feu et de l'air et isolée, devient plus uniforme, se trouve comprimée par la sortie de ces deux corps et se condense... elle constitue, suivant les circonstances, la grêle, la glace, la neige ou le frimas. Les nombreuses espèces d'eau, mêlées les unes aux autres et distillées à travers les plantes que la terre produit, reçoivent en général le nom de sucs, etc. »

Il distingue alors quatre espèces d'eau principales et qui contiennent du feu : le suc qui réchauffe l'âme et le corps, c'est-à-dire le vin ; l'espèce alimentaire et agréable, c'est-à-dire le miel (espèce sucrée) ; enfin le genre de suc qui dissout les chairs et qui, par la chaleur, devient écumeux. Cette dernière espèce, traduite à tort par Cousin et par Henri Martin par le mot opium, est obscure ; mais les trois autres ne le sont pas.

Quant aux espèces de terre, Platon les distingue de même, suivant la proportion d'eau qu'elles renferment et selon l'égalité et l'uniformité de leurs parties, en pierre, basalte, tuile, sel enfin. Je reproduis seule-ment ce qui concerne le dernier genre. « Lorsque cette terre est privée d'une grande partie de l'eau qui s'y trouvait mêlée, mais qu'elle est composée des parties ténues et qu'elle est salée, il se forme aussi un corps à demi-solide et susceptible de se dissoudre de nouveau dans l'eau : ainsi se produit, d'une part, le natron, qui sert à laver les taches d'huile et de terre ; de l'autre, ce corps qu'il est si utile de mêler avec les substances réunies pour flatter le palais, le sel, ce corps aimé des dieux.

« ... Quand la terre n'est pas condensée avec force, il n'y a que l'eau qui puisse la dissoudre ; mais, quand elle est compacte, il n'y a que le feu, car il est le seul corps qui puisse y pénétrer.

« Les corps qui contiennent moins d'eau que la terre sont toutes les espèces de verre, et toutes les espèces de pierre qu'on nomme fusibles ; d'autres, au contraire, contiennent plus d'eau dans leur composition : ce sont les corps semblables à la cire et aromatiques. »

J'ai cru utile de donner *in extenso* ces passages du *Timée* de Platon, parce qu'ils me paraissent renfermer les véritables origines des théories alchimiques.

§ 4. — LES ALCHIMISTES GRECS

Il est facile, en effet, d'apercevoir la parenté des idées du *Timée* avec celles qui sont présentées dans nos citations des premiers alchimistes, contemporains et élèves des néo-platoniciens. Cette filiation est accusée d'une façon expresse par les écrits de Synésius et de Stéphanus d'Alexandrie. Nous lisons, par exemple, dans le commentaire de Synésius sur Démocrite.

« Les corps sont composés de quatre choses, ainsi que les choses qui y sont attachées ; et quelles sont ces choses ? Leurs matières premières sont leurs âmes. De même que l'artisan façonne le bois pour en faire un siège, ou un char ou autre chose, et ne fait que modifier la matière, sans lui donner autre chose que la forme ; de même, l'airain est façonné en statue, en vase arrondi. Ainsi opère notre art ; de même le mercure, travaillé par nous, prend toute espèce de formes ; fixé sur un corps formé des quatre éléments, il demeure ferme : il possède une affinité puissante. »

La faculté d'amalgamation, d'action universelle du mercure préoccupe sans cesse notre auteur. Un peu avant il dit :

« Le mercure prend toutes les formes, de même que la cire attire toute couleur ; ainsi le mercure blanchit tout, attire l'âme de toutes choses... il change toutes les couleurs et subsiste lui-même, tandis qu'elles ne subsistent pas ; et même s'il ne subsiste pas en apparence, il demeure contenu dans les corps. »

On voit ici reparaître la notion de la qualité fondamentale, prise pour un élément, une substance proprement dite ; et celle de la matière première, constituant, à proprement parler, l'âme des corps. La comparaison même de celle-ci, faite par Platon, avec l'or qui sert aux travaux de l'artisan, se retrouve appliquée au bois. Seulement la notion métaphysique de la matière première universelle de Platon est transformée et concrétée en quelque sorte, par un artifice de métaphysique matérialiste que nous retrouvons dans la philosophie chimique de tous les temps : elle est identifiée avec le mercure des philosophes. C'est là une notion toute nouvelle et très originale, notion plus ancienne d'ailleurs que Synésius, s'il est vrai que Dioscoride ait déclaré déjà, vers le temps de l'ère chrétienne, que « certains regardent le mercure comme contenu dans tous les métaux. »

L'origine de cette opinion est facile à apercevoir, en rappelant que Platon désigne sous le nom d'eaux tous les corps liquides et tous les corps fusibles, l'or et le cuivre notamment. Les métaux fondus offrent en effet un aspect et des propriétés remarquables, semblables à celles du mercure ordinaire. Il n'est pas surprenant que ces caractères communs aient été attribués à une substance spéciale, en qui résidait par excellence, disait-on, la liquidité métallique : c'était l'un des attributs momentanés du mercure des philosophes. Le mercure, joint au soufre et à l'arsenic des philosophes, symboles d'autres qualités fondamentales, constituent à proprement parler les éléments chimiques, comme Geber le déclare formellement au VIIIe siècle.

Stéphanus d'Alexandrie (vers 630) se rapproche encore davantage que Synésius des idées et du langage du Timée et des Pythagoriciens. C'est un auteur enthousiaste et mystique, comme les alchimistes gnostiques Zosime et Synésius. Il croit fermement au pouvoir illimité de la science. « la science peut tout, dit-il ; elle voit clairement les choses que l'on ne peut apercevoir et elle peut accomplir les choses impossibles. » C'est aussi un néoplatonicien chrétien, qui débute par invoquer la sainte Trinité.

« La multitude des nombres, dit encore Stéphanus d'après les Pythagoriciens, est composée d'une seule unité, indivisible et naturelle, qui la produit à l'infini, la domine et l'embrasse, parce que cette multitude découle de l'unité. Elle est immuable, immobile ; les nombres résultent de son développement circulaire et sphérique.» De même Zosime écrivait déjà : « Tout vient de l'unité ; tout s'y classe ; elle engendre tout ».

Stéphanus expose plus loin : « Que Dieu a fait l'univers avec quatre éléments... ces quatre éléments (l'air, le feu, la terre et l'eau), étant contraires entre eux, ne peuvent se réunir, si ce n'est par l'interposition d'un corps qui possède les qualités des deux extrêmes : ainsi le feu vif-argent se joint à l'eau par l'intermède de la terre, c'est-à-dire de la scorie... l'eau est jointe avec le feu du vif-argent par l'air du cuivre, etc. Le feu, étant chaud et sec, engendre la chaleur de l'air et la sécheresse de la terre. L'eau humide et froide engendre l'humidité de l'air et le froid de la terre ; la terre froide et sèche engendre le froid de l'eau et la sécheresse du feu, etc. Réciproquement, l'air chaud et humide engendre la chaleur du feu et l'humidité de l'eau, etc. » des théories médicales connexes, sur le froid et le chaud, le sec et l'humide, le sang et la bile, sont ici entremêlés et manifestent la profession de Stéphanus.

Les paroles précédentes rappellent encore celles de Platon : « C'est donc de feu et de terre que Dieu dut former l'univers ; mais il est impossible de bien unir deux corps sans un troisième, car il faut qu'entre eux se trouve un lien qui les rapproche tous deux.» Nous retrouvons encore l'application, matérialisée suivant un sens chimique, d'une notion de la métaphysique platonicienne ; notion qui a reparu au siècle dernier sous le nom du médiateur plastique, interposé entre l'âme et le corps.

Stéphanus précise davantage, toujours dans un langage pythagoricien ; il montre les relations numériques qui établissent une parenté mystique entre l'alchimie et l'astronomie, autre ordre de conceptions non moins intéressantes dans l'histoire de la science. Après avoir établi que chacun des quatre éléments, ayant deux qualités, résulte de l'association de trois éléments, dont deux associés à lui-même et qu'il conserve ; il ajoute : « Cela fait douze combinaisons, résultant de quatre éléments pris trois à trois : c'est pourquoi notre art est représenté par le dodécaèdre, qui répond aux douze signes du zodiaque.» Les quatre saisons répondent aux quatre éléments, aux quatre régions du corps humain, etc. De même les sept transformations, les sept couleurs, les sept planètes. Les relations établies par le démiurge, autre conception platonicienne, entre les métaux et les planètes sont développées plus loin.

Mais achevons d'exposer ce qui est relatif à la transformation de la matière, d'après Stéphanus. « Il faut dépouiller la matière (de ses qualités), en tirer l'âme, la séparer du corps, pour arriver à la perfection... Le cuivre, est comme l'homme : il a une âme et un corps... Quelle est son âme et quel est son corps ? L'âme est la partie la plus subtile..., c'est-à-dire l'esprit tinctorial. Le corps est la chose pesante, matérielle, terrestre et douée d'une ombre... Après une suite de traitements convenables, le cuivre devient sans ombre et meilleur que l'or... Il faut expulser l'ombre de la matière pour obtenir la nature pure et immaculée... Il faut donc dépouiller la matière, et comment la dépouiller ? Si ce n'est par le remède igné (mercure). Et qu'est-ce que dépouiller ? Si ce n'est appauvrir, corrompre, dissoudre, mettre à mort et enlever à celui-ci toute sa nature propre et sa grande mobilité ; afin que l'esprit, subsistant et manifestant le principe tinctorial, soit rendu susceptible de se combiner pour accomplir l'opération cherchée (c'est-à-dire la teinture des métaux ou transmutation)... La nature de la matière est à la fois simple et composée... Elle reçoit mille noms, et son essence est une, etc. Les éléments deviennent et se transmutent, parce que les qualités sont contraires et non les substances. » Ailleurs : « Il faut d'abord diviser la matière, la noircir, puis la blanchir ; alors la coloration jaune sera stable. » Et encore : « Entends par le feu le mercure et le remède igné : ce mercure brûle, corrompt et épuise les corps, etc.» Nous retrouvons la phrase de Marie la juive et le mot de Pline : « Le mercure, poison de toutes choses. »

Ces explications demi-métaphysiques sont entremêlées dans l'auteur par le récit d'opérations réelles, dont la signification s'aperçoit parfois très clairement. Ainsi, Stéphanus raconte en langage mystique le combat du cuivre et du mercure... « Le cuivre est blanchi et corrompu par le mercure. Celui-ci est fixé par son union avec le cuivre, etc., le cuivre ne teint pas, mais il reçoit la teinture, et après qu'il l'a reçue, il teint (les autres corps). » Ce qui paraît se rapporter à la fois et à la formation des alliages métalliques de diverses nuances et à la coloration des verres et émaux par les sels de cuivre, résultant de la dissolution préalable du métal.

L'auteur s'en réfère aussi aux préparations des Égyptiens et ajoute : « Un seul genre de pierre peut être fabriqué avec beaucoup de pierres de diverses espèces ; c'est ainsi qu'on fabrique les statues, les animaux, les verres, les couleurs (émaux ou verres colorés). » Nous touchons ici du doigt les faits positifs et les pratiques industrielles qui ont servi de base aux théories des alchimistes. Nous voyons comment ils en ont déduit la notion de la matière première, une et polymorphe, telle que nous la trouvons dans Platon, dans Énée de Gaza, dans Zosime, dans Pélage, dans Stéphanus. Ils précisent leur idée, tantôt par des comparaisons tirées de l'art des artisans, qui donnent une apparence diverse à une matière unique ; tantôt, par des assimilations plus profondes, empruntées aux industries chimiques de la teinture et de la fabrication du verre et des émaux. Nous sommes donc ramenés par ces théories philosophiques sur le terrain même où nous avait conduit l'étude pratique des métaux égyptiens, de leurs alliages et des pierres brillantes, naturelles et artificielles, rangées à côté des métaux dans une même famille de substances.

———————————————————

1. *De Cælo*, l. III, ch. xxxvii.
2. Lucrèce, *De natura rerum*, I, 783.
3. Lucrèce, *De natura rerum*, I, 820.
4. *Timée*, traduction de H. Martin, t. I.

CHAPITRE II – THÉORIES DES ALCHIMISTES ET THÉORIES MODERNES

§ 1. — LE MERCURE DES PHILOSOPHES

L'alchimie était une philosophie, c'est-à-dire une explication rationaliste des métamorphoses de la matière. Nulle part, dans les procédés des premiers théoriciens grecs qui sont venus jusqu'à nous, le miracle n'apparaît ; bien que les formules magiques semblent avoir été mêlées aux pratiques, lors des débuts de la science, au temps de Zosime par exemple. Mais elles semblent avoir disparu, en même temps que la théorie proprement dite s'est développée. Michel Psellus déclare formellement que les destructions et transformations de matière se font par des causes naturelles, et non en vertu d'une incantation et d'une formule secrète.

A travers les explications mystiques et les symboles dont s'enveloppent les alchimistes, nous pouvons entrevoir les théories essentielles de leur philosophie ; lesquelles se réduisent en somme à un petit nombre d'idées claires, plausibles, et dont certaines offrent une analogie étrange avec les conceptions de notre temps.

Tous les corps de la nature, d'après les adeptes grecs, sont formés par une même matière fondamentale. Pour obtenir un corps déterminé, l'or par exemple, le plus parfait des métaux, le plus précieux des biens, il faut prendre des corps analogues, qui en diffèrent seulement par quelque qualité, et éliminer ce qui les particularise ; de façon à les réduire à leur matière première, qui est le mercure des philosophes.

Celui-ci peut être tiré du mercure ordinaire, en lui enlevant d'abord la liquidité, c'est-à-dire une eau, un élément fluide et mobile, qui l'empêche d'atteindre la perfection. Il faut aussi le fixer, lui ôter sa volatilité, c'est-à-dire un air, un élément aérien qu'il renferme ; enfin, d'aucuns professent, comme le fera plus tard Geber, qu'il faut séparer encore du mercure une terre, un élément terrestre, une scorie grossière, qui s'oppose à sa parfaite atténuation. On opérait de même avec le plomb, avec l'étain ; bref, on cherchait à dépouiller chaque métal de ses propriétés individuelles. Il fallait ôter au plomb sa fusibilité, à l'étain son cri particulier, sur lequel Geber insiste beaucoup ; le mercure enlève en effet à l'étain son cri, dit aussi Stéphanus.

La matière première de tous les métaux étant ainsi préparée, je veux dire le mercure des philosophes, il ne restait plus qu'à la teindre par le soufre et l'arsenic ; mots sous lesquels on confondait à la fois les sulfures métalliques, divers corps inflammables congénères, et les matières quintessenciées que les philosophes prétendaient en tirer. C'est dans ce sens que les métaux ont été regardés au temps des Arabes, comme composés de soufre et de mercure. Les teintures d'or et d'argent étaient réputées avoir au fond une même composition. Elles constituaient la pierre philosophale, ou poudre de projection (*xerion*).

Telle est, je crois, la théorie que l'on peut entrevoir à travers ces symboles et ces obscurités ; théorie en partie tirée d'expériences pratiques, en partie déduite de notions philosophiques.

En effet, la matière et ses qualités sont conçues comme distinctes, et celles-ci sont envisagées comme des êtres particuliers, que l'on peut ajouter ou faire disparaître. Dans les exposés des adeptes, il règne une triple confusion entre la matière substantielle, telle que nous la concevons aujourd'hui ; ses états, solidité, liquidité, volatilité, envisagées comme des substances spéciales, surajoutées, et qui seraient même, d'après les Ioniens, les vrais éléments des choses ; enfin, les phénomènes ou actes manifestés par la matière, sous leur double forme statique et dynamique, tels que la liquéfaction, la volatilisation, la combustion, actes assimilés eux-mêmes aux éléments.

Il y a donc au fond de tout ceci certaines idées métaphysiques, auxquelles la chimie n'a jamais été étrangère. Au siècle dernier, un pas capital a été fait dans notre conception de la matière, par suite de la séparation apportée entre la notion substantielle
de l'existence des corps pondérables et la notion phénoménale de leurs qualités, envisagées jusque-là par les alchimistes comme des substances réelles. Mais pour comprendre le passé il convient de nous

reporter à des opinions antérieures et qui paraissaient claires aux esprits cultivés, il y a un siècle à peine. Les doctrines des alchimistes et des platoniciens à cet égard diffèrent tellement des nôtres, qu'il faut un certain effort d'esprit pour nous replacer dans le milieu intellectuel qu'elles étaient destinées à reproduire. Cependant, il est incontestable qu'elles constituent un ensemble logique, et qui a longtemps présidé aux théories scientifiques. Ces doctrines, que nous apercevons déjà dans le pseudo-Démocrite, dans Zosime, et plus nettement encore dans leurs commentateurs, Synésius, Olympiodore et Stéphanus, se retrouvent exposées dans les mêmes termes par Geber, le maître des Arabes, et après lui, par tous les philosophes hermétiques.

Non seulement les matériaux employés par ceux-ci dans la transmutation : le soufre, l'argent, la tutie, la magnésie, la marcassite, etc., rappellent tout à fait ceux du pseudo-Démocrite et de ses successeurs grecs ; mais Geber dit formellement que l'on ne saurait réussir dans la transmutation, si l'on ne ramène les métaux à leur matière première.

L'esprit humain s'est attaché avec obstination à ces théories, qui ont servi de support à bien des expériences réelles. Ce fut aussi la doctrine de tout le moyen âge. Dans les écrits attribués à Basile Valentin, écrits qui remontent au XVe siècle, l'auteur affirme de même que l'esprit de mercure est l'origine de tous les métaux, et nous retrouvons cette doctrine dans la *Bibliothèque des philosophes chimiques* de Salmon, à la fin du XVIIe siècle. De là cet espoir décevant de la transmutation, espoir entretenu par le vague des anciennes connaissances ; il reposait sur l'apparence incontestable d'un cycle indéfini de transformations, se reproduisant sans commencement ni terme, dans les opérations chimiques.

Ceci demande à être développé, si l'on veut comprendre l'origine et la portée des idées des anciens chimistes.

§ 2. — ORIGINE ET PORTÉE DES IDÉES ALCHIMIQUES

Je prends un minerai de fer, soit l'un de ses oxydes si répandus dans la nature ; je le chauffe avec du charbon et du calcaire et j'obtiens le fer métallique. Mais celui-ci à son tour, par l'action brusque du feu au contact de l'air, ou par l'action lente des agents atmosphériques, repasse à l'état d'un oxyde, identique ou analogue avec le générateur primitif. Où est ici l'élément primordial, à en juger par les apparences ? Est-ce le fer, qui disparaît si aisément ? Est-ce l'oxyde, qui existait au début et se retrouve à la fin ? L'idée du corps élémentaire semblerait a priori convenir plutôt au dernier produit, en tant que corrélative de la stabilité, de la résistance aux agents de toute nature. Voilà comment l'or a paru tout d'abord le terme accompli des métamorphoses, le corps parfait par excellence : non seulement à cause de son éclat, mais surtout parce qu'il résiste mieux que tout autre métal aux agents chimiques.

Les corps simples, qui sont aujourd'hui l'origine certaine et la base des opérations chimiques, ne se distinguent cependant pas à première vue des corps composés. Entre un métal et un alliage, entre un élément combustible, tel que le soufre ou l'arsenic, et les résines et autres corps inflammables combustibles composés, apparences ne sauraient établir une distinction fondamentale. Les corps simples dans la nature ne portent pas une étiquette, s'il est permis de s'exprimer ainsi, et les mutations chimiques ne cessent pas de s'accomplir, à partir du moment où elles ont mis ces corps en évidence. Soumis à l'action du feu ou des réactifs qui les ont fait apparaître, ils disparaissent à leur tour ; en donnant naissance à de nouvelles substances, pareilles à celles qui les ont précédées.

Nous retrouvons ainsi dans les phénomènes chimiques cette rotation indéfinie dans les transformations, loi fondamentale de la plupart des évolutions naturelles ; tant dans l'ordre de la nature minérale que dans l'ordre de la nature vivante, tant dans la physiologie que dans l'histoire. Nous comprenons pourquoi, aux yeux des alchimistes, l'œuvre mystérieuse n'avait ni commencement ni fin, et pourquoi ils la symbolisaient par le serpent annulaire, qui se mord la queue : emblème de la nature toujours une, sous le fond mobile des apparences.

Cependant, cette image de la chimie a cessé d'être vraie pour nous. Par une rare exception dans les sciences naturelles, notre analyse est parvenue en chimie à mettre à nu l'origine précise, indiscutable des métamorphoses : origine à partir de laquelle la synthèse sait aujourd'hui reproduire à volonté les phénomènes et les êtres, dont elle a saisi la loi génératrice.

Un progrès immense et inattendu a donc été accompli en chimie : car il est peu de sciences qui puissent ainsi ressaisir leurs origines. Mais ce progrès n'a pas été réalisé sans un long effort des générations humaines.

C'est par des raisonnements subtils, fondés sur la comparaison d'un nombre immense de phénomènes, que l'on est parvenu à établir une semblable ligne de démarcation, aujourd'hui si tranchée pour nous, entre les corps simples et les corps composés. Mais ni les alchimistes, ni même Stahl ne faisaient une telle différence. Il n'y avait donc rien de chimérique, *a priori* du moins, dans leurs espérances.

Le rêve des alchimistes a duré jusqu'à la fin du siècle dernier, et je ne sais s'il ne persiste pas encore dans certains esprits. Certes il n'a jamais eu pour fondement aucune expérience positive. Les opérations réelles que faisaient les alchimistes, nous les connaissons toutes et nous les répétons chaque jour dans nos laboratoires ; car ils sont à cet égard nos ancêtres et nos précurseurs pratiques. Nous opérons les mêmes fusions, les mêmes dissolutions, les mêmes associations de minerais, et nous exécutons en outre une multitude d'autres manipulations et de métamorphoses qu'ils ignoraient. Mais aussi nous savons de toute certitude que la transmutation des métaux ne s'accomplit dans le cours d'aucune de ces opérations.

Jamais un opérateur moderne n'a vu l'étain, le cuivre, le plomb se changer sous ses yeux en argent ou en or par l'action du feu, exercée par les mélanges les plus divers ; comme Zosime et Geber s'imaginaient le réaliser. La transmutation n'a pas lieu, même sous l'influence des forces dont nous disposons aujourd'hui, forces autrement puissantes et subtiles que les agents connus des anciens.

Les découvertes modernes relatives aux matières explosives et à l'électricité mettent à notre disposition des agents à la fois plus énergiques et plus profonds, qui vont bien au delà de tout ce que les alchimistes avaient connu. Ces agents atteignent des températures ignorées avant nous ; ils communiquent à la matière en mouvement une activité et une force vive incomparablement plus grande que les opérations des anciens. Ils donnent à ces mouvements une direction, une polarisation, qui permettent d'accroître à coup sûr et dans un sens déterminé à l'avance l'intensité des forces présidant aux métamorphoses.

Par là même, nous avons obtenu à la fois cette puissance sur la nature et cette richesse industrielle que les alchimistes avaient si longtemps rêvées, sans jamais pouvoir y atteindre. La chimie et la mécanique ont transformé le monde moderne. Nous métamorphosons la matière tous les jours et de toutes manières. Mais nous avons précisé en même temps les limites auxquelles s'arrêtent ces métamorphoses : elles n'ont jamais dépassé jusqu'à présent nos corps simples ou éléments chimiques.

Cette limite n'est pas imposée par quelque théorie philosophique ;

c'est une barrière de fait, que notre puissance expérimentale n'a pas réussi à renverser.

§ 3. — LES CORPS SIMPLES ACTUELS

Lavoisier a montré, il y a cent ans, que l'origine de tous les phénomènes chimiques connus peut être assignée avec netteté et qu'elle ne dépasse pas ce qu'il appelait, et ce que nous appelons avec lui, les corps simples et indécomposables, les métaux en particulier, dont la nature et le poids se maintiennent invariables.

C'est cette invariabilité de poids des éléments actuels qui est le nœud du problème. Le jour où elle a été partout constatée et démontrée avec précision, le rêve antique de la transmutation s'est évanoui.

Dans le cycle des transformations, si la genèse réciproque de nos éléments n'est pas réputée impossible *a priori*, du moins il est établi aujourd'hui que ce serait là une opération d'un tout autre ordre que celles que nous connaissons et que nous avons le pouvoir actuel d'exécuter. Car, en fait, dans aucune de nos opérations, le poids des éléments et leur nature n'éprouvent de variation. Nos expériences sur ce point datent d'un siècle. Elles ont été répétées et diversifiées de mille façons, par des milliers d'expérimentateurs, sans avoir été jamais trouvées en défaut.

L'existence constatée d'une différence aussi radicale entre la transmutation des métaux, si longtemps espérée en vain, et la fabrication des corps composés, désormais réalisable par des méthodes certaines, jeta un jour soudain. C'était à cause de l'ignorance où l'on était resté à cet égard jusqu'à la fin du XVIIIᵉ siècle que la chimie n'avait pas réussi à se constituer comme science positive. La nouvelle notion démontra l'inanité des rêves des anciens opérateurs, inanité que leur impuissance à établir aucun fait réel de transmutation avait déjà fait soupçonner depuis longtemps. Chez les alchimistes grecs, les plus anciens de tous, le doute n'apparaît pas encore ; mais le scepticisme existe déjà du temps de Geber, qui consacre plusieurs chapitres à le réfuter en forme. Depuis, ce scepticisme avait toujours grandi, et les bons esprits en étaient arrivés, même avant Lavoisier, à nier la transmutation ; non en vertu de principes abstraits, mais en tant que fait d'expérience effective et réalisable.

§ 4. — L'UNITÉ DE LA MATIÈRE. — LES MULTIPLES DE L'HY-DROGÈNE ET LES ÉLÉMENTS POLYMÈRES

Assurément, cette notion de l'existence définitive et immuable de soixante-six éléments distincts, tels que nous les admettons aujourd'hui, ne serait jamais venue à l'idée d'un philosophe ancien ; ou bien il l'eût rejetée aussitôt comme ridicule : il a fallu qu'elle s'imposât à nous, par la force inéluctable de la méthode expérimentale. Est-ce à dire cependant que telle soit la limite définitive de nos conceptions et de nos espérances ? Non, sans doute : en réalité, cette limite n'a jamais été acceptée par les chimistes que comme un fait actuel, qu'ils ont toujours conservé l'espoir de dépasser.

De longs travaux ont été entrepris à cet égard, soit pour ramener tous les équivalents des corps simples à une même série de valeurs numériques, dont ils seraient les multiples ; soit pour les grouper en familles naturelles ; soit pour les distribuer dans celles-ci, suivant des progressions arithmétiques.

Aujourd'hui même, les uns, s'attachant à la conception atomique, regardent nos corps prétendus simples comme formés par l'association d'un certain nombre d'éléments analogues ; peut-être comme engendrés par la condensation d'un seul d'entre eux, l'hydrogène par exemple, celui dont le poids atomique est le plus petit de tous.

On sait en effet que les corps simples sont caractérisés chacun par un nombre fondamental, que l'on appelle son *équivalent* ou son *poids atomique*. Ce nombre représente la masse chimique de l'élément, le poids invariable sous lequel il entre en combinaison et s'associe aux autres éléments, parfois d'après des proportions multiples. C'est ce poids constant qui passe de composé en composé, dans les substitutions, décompositions et réactions diverses, sans éprouver jamais la plus petite variation. La combinaison ne s'opère donc pas suivant une progression continue, mais suivant des rapports entiers, multiples les uns des autres, et qui varient par sauts brusques. De là, pour chaque élément, l'idée d'une molécule déterminée, caractérisée par son poids, et peut-être aussi par sa forme géométrique. Cette molécule demeurant indestructible, au moins dans toutes les expériences accomplies jusqu'ici, elle a pu être regardée comme identique avec l'atome de Démocrite et d'Épicure. Telle est la base de la théorie atomique de notre temps.

Ainsi chaque corps simple serait constitué par un atome spécial, par une certaine particule matérielle insécable. Les forces physiques, aussi bien que les forces chimiques, ne sauraient faire éprouver à cet atome que des mouvements d'ensemble, sans possibilité de vibrations internes ; celles-ci ne pouvant exister que dans un système formé de plusieurs parties. Il en résulte encore qu'il ne peut y avoir dans l'intérieur d'un atome indivisible aucune réserve d'énergie immanente.

Telles sont les conséquences rigoureuses de la théorie atomique. Je me borne à les exposer et je n'ai pas à discuter ici si ces conséquences ne dépassent pas les prémisses, les faits positifs qui leur servent de base ; c'est-à-dire si les faits autorisent à conclure non seulement à l'existence de certaines masses moléculaires déterminées, caractéristiques des corps simples, et que tous les chimistes admettent ; mais aussi à attribuer à ces molécules le nom et les propriétés des atomes absolus, comme le font un certain nombre de savants.

Ces réserves sont d'autant plus opportunes que les partisans modernes de la théorie atomique l'ont presque aussitôt répudiée dans les interprétations qu'ils ont données de la constitution des corps simples : interprétations aussi hypothétiques d'ailleurs que l'existence même des atomes absolus, mais qui attestent l'effort continu de l'esprit humain pour aller au delà de toute explication démontrée des phénomènes, aussitôt qu'une semblable explication a été atteinte, et pour s'élancer plus loin vers des imaginations nouvelles.

Retraçons cette histoire : s'il ne s'agit plus d'une doctrine positive, cependant l'exposé que nous allons faire offre l'intérêt qui s'attache aux conceptions par lesquelles l'intelligence essaie de représenter le système général de la nature. Nous retrouvons ici des vues analogues à celles des pythagoriciens, alors qu'ils prétendaient enchaîner dans un même système les propriétés réelles des êtres et les propriétés mystérieuses des nombres.

Le premier et principal effort qui ait été tenté dans cette voie, consiste à ramener les équivalents ou poids atomiques de tous les éléments à une même unité fondamentale. C'est là une conception *a priori*, qui a donné lieu à une multitude d'expériences, destinées à la vérifier. Si le fruit théorique à ce point de vue en a été minime, sinon même négatif ; en pratique, du moins, ces travaux ont eu un résultat scientifique très utile : ils ont fixé avec une extrême précision les équivalents réels de nos éléments ; c'est-à-dire, je le répète, les poids exacts suivant lesquels les éléments entrent en combinaison et se substituent les uns aux autres.

Prout, chimiste anglais, avait proposé tout d'abord de prendre le poids même de l'un de nos éléments, celui de l'hydrogène, comme unité ; dans la supposition que les poids atomiques de tous les autres corps simples en étaient des multiples. Cette hypothèse, embrassée et soutenue pendant quelque temps par M. Dumas, réduit toute la théorie à une extrême simplicité. En effet, tous les corps simples seraient dès lors constitués par les arrangements divers de l'atome du plus léger d'entre eux. Malheureusement, elle n'a pas résisté au contrôle expérimental, c'est-à-dire à la détermination exacte, par analyse et par synthèse, des poids atomiques vrais de nos corps simples. Cette détermination a fourni, à côté de quelques poids atomiques à peu près identiques avec les multiples de l'hydrogène, une multitude d'autres nombres intermédiaires.

Mais dans les conceptions théoriques, pas plus que dans la vie pratique, l'homme ne renonce pas facilement à ses espérances. Pour soutenir la supposition de Prout, ses partisans ont essayé d'abord de réduire à moitié, puis au quart, l'unité fondamentale.

Or, à ce terme, une objection se présente : c'est que les vérifications concluantes deviennent impossibles. En effet, nos expériences n'ont pas, quoi que nous fassions, une précision absolue ; et il est clair que toute conjecture numérique serait acceptable, si l'on plaçait l'unité commune des poids atomiques au delà de la limite des erreurs que nous ne pouvons éviter.

Ce n'est pas tout d'ailleurs ; le fond même du système est atteint par cette supposition. La réduction du nombre fondamental, au-dessous d'une unité égale au poids atomique de l'hydrogène, enlève à la théorie ce caractère précis et séduisant, en vertu duquel tous les éléments étaient regardés comme formés en définitive par de l'hydrogène plus ou moins condensé. Il faudrait reculer dans l'inconnu jusqu'à un élément nouveau, quatre fois plus léger, élément inconnu qui formerait par sa condensation l'hydrogène lui-même.

Encore cela ne suffit-il pas pour représenter rigoureusement les expériences. En effet, M.Stas, par des études d'une exactitude incomparable, a montré que le système réduit à ces termes, c'est-à-dire réduit à prendre comme unité un sous-multiple peu élevé du poids de l'hydrogène, le système, dis-je, ne peut être défendu. Les observations extrêmement précises qu'il a exécutées ont prouvé sans réplique que les poids atomiques des éléments ne sont pas exprimés par des nombres simples, c'est-à-dire liés entre eux par des rapports entiers rigoureusement définis. La théorie des multiples de l'hydrogène n'est donc pas soutenable, dans son sens strict et rigoureux.

Gardons-nous cependant d'une négation trop absolue. Si l'hypothèse qui admet les équivalents des éléments multiples les uns des autres ne peut pas être affirmée d'une façon absolue, cependant cette hypothèse a pour elle des observations singulières et qui réclament, en tout état de cause, une interprétation. à cet égard les faits que je vais citer donnent à réfléchir.

§ 5. — LES ÉLÉMENTS ISOMÈRES ET POLYMÈRES

Il existe en réalité certains éléments, comparables entre eux, et qui possèdent en même temps des poids atomiques identiques. Tels sont le cobalt et le nickel, par exemple. Ces deux métaux sont semblables par la plupart de leurs propriétés et ils produisent deux séries de composés parallèles, en s'unissant avec les autres éléments. Or ici interviennent de nouvelles et plus puissantes analogies. En effet un tel parallélisme dans les réactions de deux corps et dans celles de leurs composés, joint à l'identité de leurs poids atomiques, n'est pas sans exemple dans la science : en particulier, il n'est pas rare de le rencontrer dans l'étude des principes organiques, tels que les carbures d'hydrogène, les essences de térébenthine et de citron, par exemple ; ou bien encore les acides tartrique et paratartrique. Ces deux essences, ces deux acides sont formés des mêmes éléments, unis dans les mêmes proportions et avec la même condensation, mais pourtant avec un arrangement différent. En outre, les deux carbures, les deux acides sont susceptibles d'engendrer des combinaisons parallèles : c'est là ce que nous appelons des corps *isomères*. Or le nickel et le cobalt se comportent précisément de la même manière. Il est certainement étrange de trouver un semblable rapprochement entre des principes composés, tels que des carbures ou les acides, et ces deux métaux, ces deux corps réputés simples : comme si les deux prétendus corps simples étaient formés, eux aussi, par les arrangements différents de certaines matières élémentaires, plus simples qu'eux-mêmes.

L'or, le platine et l'iridium, autres métaux qui constituent un même groupe, offrent un rapprochement numérique pareil, quoique moins étroit dans leurs dérivés, que celui du cobalt et du nickel.

Dans les cas de ce genre, il semble, je le répète, que l'on ait affaire à de certaines matières fondamentales, identiques quant à leur nature, mais diversifiées quant au détail de leurs arrangements intérieurs et de leurs manifestations.

Néanmoins, pour être fidèle aux règles de la saine méthode scientifique, il importe d'ajouter aussitôt que jusqu'ici les chimistes n'ont jamais pu changer, par aucun procédé, ni le cobalt en nickel, ni l'or en platine ou en iridium.

Poursuivons ces rapprochements : ils s'étendent plus loin. En effet, à côté des éléments isomères viennent se ranger d'autres éléments, dont les poids atomiques ne sont pas identiques, mais liés dans un même groupe par des relations numériques simples, et multiples les uns des autres. L'oxygène, par exemple, peut être comparé au soufre, dans les combinaisons de ces deux éléments avec l'hydrogène et avec les métaux. L'eau et l'hydrogène sulfuré, les oxydes et les sulfures constituent deux séries de composés parallèles. Le soufre peut même être rapproché plus strictement encore du sélénium et du tellure : ce sont là des éléments comparables, formant, je le répète, des combinaisons parallèles avec l'hydrogène, avec les métaux et même avec l'oxygène et la plupart des autres éléments. Or, l'analogie chimique de ces éléments se retrouve dans la comparaison numérique de leurs poids atomiques : le poids atomique du soufre est sensiblement double de l'oxygène ; celui du sélénium en est presque quintuple, et celui du tellure est huit fois aussi considérable que celui de l'oxygène, c'est-à-dire quadruple de celui du soufre.

Ici encore nous retrouvons des analogies remarquables dans l'étude des combinaisons des carbures d'hydrogène. Ces poids atomiques d'éléments multiples les uns des autres rappellent les corps *polymères*, c'est-à-dire les composés condensés de la chimie organique. On connaît en effet des carbures d'hydrogène, formés des mêmes éléments unis dans la même proportion relative, mais tels que leurs poids moléculaires et leurs densités gazeuses soient multiples les uns des autres. La benzine et l'acétylène, par exemple, sont des carbures d'hydrogène de cet ordre : ils sont formés tous deux par l'association d'une partie en poids d'hydrogène avec six parties de carbone. Mais la vapeur de la benzine, sous le même volume, est trois fois aussi lourde que celle de l'acétylène. Ce n'est pas tout : la benzine dérive de l'acétylène, par une condensation directe : elle en est le polymère. Réciproquement, nous savons transformer par expérience ces composés polymères dans un sens inverse, revenir du carbure condensé à son générateur ; nous savons transformer notamment la benzine en acétylène, par la chaleur et par l'électricité.

Cette ressemblance entre les carbures polymères et les corps simples à poids atomiques multiples suggère aussitôt l'espérance de transformations du même ordre. Si nous modifions les carbures d'hydrogène, pourquoi ne pourrions-nous pas modifier aussi les corps simples qui offrent des relations numériques analogues ? Pourquoi ne pourrions-nous pas former le soufre avec l'oxygène, former le sélénium et le tellure avec le soufre, par des procédés de condensation convenables ? Pourquoi le tellure, le sélénium ne pourraient-ils pas être changés inversement en soufre, et celui-ci à son tour métamorphosé en oxygène ?

Rien, en effet, ne s'y oppose *a priori* : toutefois, et la chose est essentielle, l'épreuve expérimentale, souvent essayée, a échoué jusqu'à présent. Ce critérium est empirique, dira-t-on ; il ne repose sur aucune démonstration nécessaire et dès lors son caractère est purement provisoire. Sans doute ; mais il en est ainsi de la plupart de nos lois, sinon même de toutes. L'expérience réalisée est le seul critérium certain de la science moderne : c'est la seule barrière qui nous garantisse contre le retour des rêveries mystiques d'autrefois.

On peut cependant pousser plus loin la démonstration : car il existe une différence positive et fondamentale entre la constitution physique des carbures polymères, ou radicaux composés de la chimie organique, et celle des éléments proprement dits, ou radicaux véritables de la chimie minérale : cette différence est fondée sur les observations des physiciens relatives aux chaleurs spécifiques. D'après leurs mesures, la quantité de chaleur nécessaire pour produire un même effet, une même variation de température, sur les carbures d'hydrogène, croît proportionnellement à leur poids moléculaire. Pour la benzine gazeuse, par exemple, il faut trois fois autant de chaleur que pour l'acétylène, pris sous le même volume. Or, le contraire arrive pour les corps simples multiples les uns des autres : lorsqu'on les prend sous le même volume gazeux, ou plus généralement sous leurs poids moléculaires respectifs, la quantité de chaleur qui produit une même variation de température dans les corps simples véritables demeure exactement la même. Par exemple, un litre d'hydrogène et un litre d'azote absorbent la même quantité de chaleur : identité d'autant plus frappante que le poids du second gaz est quatorze fois aussi considérable que celui du premier. Le travail de la chaleur est donc bien différent dans les deux cas, suivant qu'il s'agit des corps simples et des corps composés, et il établit une diversité essentielle entre les vrais éléments chimiques, tels que nous les connaissons aujourd'hui, et les polymères effectifs, c'est-à-dire les corps obtenus par la condensation expérimentale d'un même radical composé. Assurément il y a là quelque chose d'un ordre tout particulier ; il existe une propriété fondamentale, tenant à la constitution mécanique des dernières particules des corps, qui différencie nos éléments présents des corps composés proprement dits : c'est là une distinction dont nous n'avons pas encore sondé toute la profondeur.

§ 6. — LES FAMILLES NATURELLES DES ÉLÉMENTS

Cependant, il existe une autre notion, connexe avec la précédente et non moins remarquable, qui concourt à entretenir nos espérances sur la génération synthétique des éléments : c'est leur classification en familles naturelles, classification tentée d'abord par Ampère, précisée par Dumas, et qui a pris une importance croissante dans ces dernières années.

Citons d'abord un exemple très caractéristique, je veux parler de la famille des *chloroïdes* : elle comprend trois termes indubitables : le chlore, le brome, l'iode. Ces trois éléments, par leurs combinaisons avec les métaux et les autres corps, forment trois séries de composés parallèles, symétriques dans leurs formules et qui offrent souvent le même volume moléculaire et la même forme cristalline. Au point de vue chimique, rien n'est plus semblable à l'acide chlorhydrique, que les acides bromhydrique et iodhydrique : ce sont trois acides puissants, engendrés pareillement par l'union à volumes égaux des gaz simples qui les composent. Le chlorure, le bromure, l'iodure de potassium, sont aussi extrêmement analogues, cristallisés dans le même système, etc. Les propriétés physiques de ces trois éléments sont tantôt les mêmes, et tantôt elles varient d'une façon régulière. Pour n'en citer qu'une seule et des plus apparentes, je rappellerai que le chlore est jaune et gazeux, le brome rouge et liquide, l'iode violet et solide.

Or, les poids moléculaires, c'est-à-dire les condensations de matière sous la forme gazeuse, vont en croissant de l'un à l'autre de ces trois éléments. En effet, leurs équivalents ou poids atomiques respectifs, poids proportionnels aux condensations gazeuses, sont égaux à 35,5 pour le chlore, à 80 pour le brome, à i27 pour l'iode. Non seulement, les poids croissent ainsi par degrés ; mais ces degrés offrent une certaine régularité : l'équivalent ou poids atomique du brome étant à peu près la moyenne entre ceux du chlore et de l'iode. Le groupe entier constitue ce que l'on a appelé une triade.

Des remarques analogues ont été faites pour d'autres groupes d'éléments : par exemple, pour la famille des *sulfuroïdes*, constituée par l'oxygène, le soufre, le sélénium et le tellure, éléments dont les équivalents ou poids atomiques sont à peu près multiples d'une même unité. Ces éléments s'unissent avec l'hydrogène, en formant des composés gazeux, composés acides pour les trois derniers, et, dans tous les cas, renfermant leur propre volume d'hydrogène. Ces éléments se combinent pareillement aux métaux.

Le groupe formé par l'azote, le phosphore, l'arsenic et l'antimoine constitue une troisième famille, non moins caractérisée, celle des *azotoïdes*, dont les composés hydrogénés sont aussi des gaz, mais contiennent une fois et demie leur volume d'hydrogène. Les poids atomiques croissent aussi suivant une progression régulière.

C'est ainsi que l'on a été conduit à une véritable classification, assemblant les corps simples suivant des principes de similitude pareils à ceux que les naturalistes invoquent dans l'étude des trois règnes de la nature. Cette classification semble même plus étroite en chimie, parce que les analogies générales, toujours un peu élastiques en histoire naturelle, sont corroborées ici par la comparaison des nombres absolus qui représentent les poids moléculaires : comme si chaque famille d'éléments était engendrée en vertu d'une loi génératrice commune.

Avant d'aller plus loin, je dois dire que je développe ces rapprochements numériques et cette notion de la génération des éléments, en prenant soin de leur conserver toute leur force et sans les affaiblir en rien. Cependant, ce serait tromper le lecteur que de ne pas l'avertir que le doute s'élève, lorsqu'on précise tout à fait. En réalité, les rapprochements sur lesquels reposent de telles espérances ne sont pas d'une rigueur absolue, mais seulement approximatifs. Ce sont donc là des à-peu-près, plutôt que des démonstrations ; ce sont des lueurs singulières, peut-être réelles et de nature à nous éclairer sur la constitution véritable de nos corps simples ; mais peut-être aussi sont-elles trompeuses, peut-être résultent-elles uniquement du jeu équivoque des combinaisons numériques.

En somme, je pense qu'il est permis d'y voir, sans sortir d'une sage réserve, l'indice de quelque loi de la nature, masquée par des perturbations secondaires qui sont restées jusqu'ici inexpliquées : à mon avis, ce genre de rapprochements ne doit pas être écarté. Mais, je le répète, il serait périlleux de s'y attacher trop fortement et de les regarder comme définitivement acquis. L'histoire des sciences prouve que l'esprit humain, une fois qu'il accepte l'à-peu-près comme une démonstration, dans les théories positives des phénomènes naturels et surtout dans les combinaisons numériques, dérive bien vite vers les fantaisies arbitraires de l'imagination.

§ 7. — LES SÉRIES PÉRIODIQUES

Un pas de plus a été franchi dans cette voie ; une tentative hardie, touchant peut-être à la chimère, a été faite pour construire des séries numériques, qui comprennent tous les corps simples actuels dans leur réseau et qui prétendent même embrasser tous les corps simples susceptibles d'être découverts dans l'avenir. Je veux parler des *séries périodiques parallèles*, ou pour employer un langage plus franc et plus précis, des progressions arithmétiques, suivant lesquelles M. Chancourtois d'abord, puis MM. Newlands, Lothar Meyer et Mendeleef ont cherché de nos jours à grouper tous les nombres qui expriment les poids atomiques de nos éléments, ou des corps prétendus tels.

C'est encore par l'étude des séries de la chimie organique que l'on a été conduit à de telles progressions arithmétiques. La chimie organique, en effet, est coordonnée autour d'un certain nombre de grandes séries de corps, liés les uns aux autres dans chaque série par des lois précises ; je dis liés non seulement par leur formule et leurs propriétés, mais aussi par leur génération effective. Les corps compris dans chacune de ces séries peuvent être formés au moyen d'un seul carbure d'hydrogène fondamental ; les autres termes en dérivent méthodiquement, par des additions ou des substitutions successives d'éléments. Le système des dérivés d'un carbure rappelle, et même avec plus de richesse, le système des dérivés d'un métal simple en chimie minérale.

Il y a plus : ici intervient une nouvelle donnée. Les carbures fondamentaux ne sont pas des êtres isolés et indépendants les uns des autres. En fait, ils peuvent être rangés à leur tour par groupes réguliers, ou séries dites homologues, séries dont les termes semblables diffèrent deux à deux par des éléments constants en nature, en nombre, et par conséquent en poids : la différence numérique invariable de ces poids égale généralement 14.

Ces relations générales sont certaines en chimie organique. Elles coordonnent, non seulement les formules, mais aussi les propriétés physiques et chimiques des carbures d'hydrogène et de leurs dérivés. Dès lors c'était une idée toute naturelle, et qui a dû se présenter à plus d'un esprit, que celle de distribuer l'ensemble des éléments minéraux suivant un principe de classification analogue, et fondé de même sur un système de différences constantes.

Telle est, en effet, la base des séries dites périodiques. On dresse aujourd'hui en chimie minérale des tableaux semblables à ceux de la chimie organique ; on y assemble les éléments, métaux et métalloïdes, comme les carbures d'hydrogène. Il y a pourtant cette différence, que les groupes des carbures d'hydrogène sont construits *a posteriori* et d'après les expériences synthétiques et positives de la chimie organique ; tandis que les nouveaux groupes d'éléments minéraux sont formés *a priori* et par voie purement hypothétique.

Quoi qu'il en soit, une sorte de table à deux entrées a été construite : elle comprend tous nos éléments connus, classés selon certaines progressions arithmétiques. Les familles naturelles des éléments, telles qu'elles ont été définies plus haut, font la base de cette classification.

Rappelons d'abord la famille des chloroïdes : elle comprend le chlore, le brome, l'iode, auxquels on a adjoint le fluor, premier terme un peu divergent. En fait, les différences numériques entre les poids atomiques de ces quatre éléments sont représentées par les chiffres suivants : 16, 5 ; 44, 5 et 47. Ces trois différences constituent à peu près une progression, dont la raison serait le nombre 16, ou bien le nombre 15.

De même la famille des sulfuroïdes, laquelle comprend l'oxygène, le soufre, le sélénium et le tellure, offre les trois différences que voici entre les poids atomiques de ses termes successifs : 16 ; 47, 6 ; 47, 8 ; nombres à très peu près multiples de 16 : c'est la même raison que tout à l'heure.

Le lithium, représenté par 7, le sodium par 23, le potassium par 39, 1, forment un troisième groupe d'éléments, tous éléments métalliques cette fois : on y retrouve la même différence ou raison approximative, égale à 16.

Venons à la famille des azotoïdes, tels que l'azote représenté par 14, le phosphore par 31, l'arsenic par 75, l'antimoine par 12o. La raison de la progression serait ici comprise entre 15 et 17, c'est-à-dire à peu près la même, quoique toujours avec des écarts notables dans sa valeur absolue.

Je dis à peu près, et c'est cet à peu près perpétuel qui jette une ombre sur tout le système. Mais poursuivons-en le résumé, en nous plaçant à un nouveau point de vue.

La première famille, celle des chloroïdes, comprend des éléments caractérisés par une propriété chimique commune, qui domine toutes leurs combinaisons : ce sont des corps *monovalents*, capables de se combiner de préférence à volumes gazeux égaux, c'est-à-dire à poids atomiques égaux, avec l'hydrogène et avec les métaux. Au contraire, la seconde famille, celle des sulfuroïdes, oxygène, soufre et analogues, contient surtout des corps bivalents, se combinant dans l'état gazeux avec un volume d'hydrogène double du leur, et, d'une manière plus générale, suivant des rapports de poids atomique doubles.

A son tour, la famille qui renferme l'azote, le phosphore et les éléments analogues est *trivalente* ; chacun de ces éléments, pris sous son poids atomique respectif, se combine avec trois atomes d'hydrogène ou des autres éléments.

Enfin, l'on distingue une autre série *quadrivalente*, formée par le carbone, le silicium, l'étain, etc.

Ces quatre séries, caractérisées par les rapports de leurs combinaisons, embrassent une multitude de composés connus. Elles rappellent certains groupes généraux de carbures d'hydrogène. En effet, les uns de ceux-ci, tels que l'éthylène, pris sous la forme gazeuse, sont susceptibles de se combiner avec un volume égal d'hydrogène, de chlore et des autres éléments. D'autres carbures, tels que l'acétylène, sont aptes à se combiner de préférence avec un volume gazeux d'hydrogène, de chlore, etc., double du leur. D'autres carbures s'unissent avec un volume triple, ou quadruple des gaz élémentaires et spécialement d'hydrogène, etc. Or, si l'on compare entre eux les carbures d'hydrogène monovalents, bivalents, trivalents, on reconnaît qu'on peut les grouper d'une façon très simple, en les rangeant par classes telles, que dans une classe de carbures renfermant le même nombre d'atomes de carbone, les carbures consécutifs diffèrent les uns des autres par deux équivalents d'hydrogène et, par conséquent, par des poids atomiques croissant de 2 en 2 unités. Cette différence constante entre les termes primordiaux des diverses séries se retrouve nécessairement entre les termes suivants, c'est-à-dire entre les termes des séries homologues comparés entre eux. Les carbures les plus légers par leur poids atomique, dans chaque classe renfermant un nombre donné d'atomes de carbone, sont en même temps les moins saturés, ceux dont la valence est la plus considérable ; car la valence croît proportionnellement au nombre d'atomes d'hydrogène unis avec une même quantité de carbone. Ces rapprochements numériques, cette classification dominent toute la chimie organique et ils reposent sur l'expérience.

Or, chose étrange ! Si l'on compare les termes primordiaux de chacune des familles minérales, caractérisées par des valences distinctes ; si l'on compare entre eux, par exemple, les quatre éléments suivants : le carbone quadrivalent et représenté par un poids atomique égal à 12 ; l'azote trivalent et représenté par le poids atomique 14 ; l'oxygène bivalent et représenté par 16 ; enfin le fluor monovalent et représenté par 19 ; on remarque aussitôt que ces nombres diffèrent entre eux par des valeurs numériques progressivement croissantes, telles que 2, 2 et 3 : soit en moyenne 2, différence qui est aussi celle des carbures d'hydrogène de valence inégale. Cette différence constante des termes primordiaux se retrouve donc entre les termes corrélatifs des diverses familles d'éléments, en chimie minérale, aussi bien qu'entre les carbures correspondant des familles homologues, en chimie organique.

Ce n'est pas tout. La famille du lithium, qui part du nombre 7, et quelques autres, un peu artificielles peut-être, telles que celle du glucinium, qui part du nombre 9, et celle du bore, qui part du nombre ii, fournissent autant de chefs de file complémentaires, dont les poids atomiques croissent par 2 unités, et achèvent de combler les vides subsistant entre les multiples successifs du nombre 16, raison commune de toutes les progressions dans l'intérieur de chaque famille d'éléments.

Nous avons ainsi deux progressions fondamentales : d'une part, la grande progression, dont les termes croissent comme les multiples de 16, et qui est applicable aux corps particuliers compris dans chacune des familles ; et, d'autre part, la petite progression, croissant suivant les multiples de 2, et qui est applicable aux familles elles-mêmes, comparées entre elles dans leurs termes correspondants. En combinant ces deux progressions, on construit un tableau théorique, qui renferme l'ensemble des poids atomiques des corps simples, répartis sur la série des nombres entiers, jusqu'à la limite des poids atomiques les plus élevés.

Tel est le système : je l'ai présenté dans son ensemble, avec les artifices ingénieux de ses arrangements. Cependant, en réalité, les poids atomiques des éléments des quatre familles fondamentales, comprenant environ quinze éléments, sont les seuls qui se trouvent coordonnés suivant des relations tout à fait vraisemblables. On peut disposer encore de même certaines séries de métaux, telles que le groupe formé par le lithium, le sodium, le potassium. Cela fait, il restait plus de la moitié des éléments connus, qui demeuraient en dehors de tout rapprochement précis. Les auteurs du système n'ont pas hésité à les grouper aussi, de façon à les ranger, chacun à sa place, dans leur tableau. Mais il est facile pour tout esprit non prévenu de reconnaître que ce dernier groupement repose sur des comparaisons purement numériques, et qui sont loin d'avoir la même solidité que les précédentes, si même elles ne sont tout à fait arbitraires.

Quoi qu'il en soit, les rapprochements que le système des séries périodiques opère ne se bornent pas là. On sait en effet qu'il existe entre les poids atomiques des corps, leurs volumes atomiques et leurs différentes propriétés physiques et chimiques, certaines relations générales. Ces relations ont été établies depuis longtemps en chimie et antérieurement à toute disposition des éléments en séries parallèles : elles n'en dépendent en rien, car elles résultent de la valeur absolue des poids atomiques, et non de leurs différences périodiques. Cependant, comme ces relations sont la conséquence immédiate des poids atomiques, les rapprochements établis entre ceux-ci se retrouvent, par un contre-coup nécessaire, entre leurs volumes atomiques et entre toutes les autres propriétés corrélatives de la masse chimique des éléments. De telle sorte que le tableau des séries parallèles, une fois établi, comprend en même temps les propriétés physiques fondamentales des éléments : comme le ferait d'ailleurs tout groupement, quel qu'il fût, des mêmes éléments. Cette circonstance augmente la commodité du nouveau tableau ; quoiqu'elle n'apporte aucune démonstration nouvelle à l'existence des séries périodiques : il faut se garder à cet égard de toute illusion.

Mais passons outre et examinons les prévisions déduites de la nouvelle classification. C'est ici surtout que le système devient intéressant. On remarquera que dans les progressions arithmétiques qui comprennent chaque famille d'éléments, il manque certains termes. Entre le soufre, 32, et le sélénium, 79 (c'est-à-dire à peu près 80), il devrait exister deux termes intermédiaires, tels que 48 et 64. De même entre le sélénium, 79, et le tellure, 128, il manque 2 termes : 96 et 112. Il est clair que ce doivent être là des éléments inconnus et qu'il convient de rechercher. Mais comme le nombre en eût été trop grand, les auteurs du système, empressés à combler les vides de chaque famille, y ont d'abord intercalé des éléments déjà connus, quoique manifestement étrangers à la famille, tels que le molybdène, 96, inséré entre le sélénium et le tellure ; le tungstène et l'uranium, ajoutés pareillement à la suite. à la série du lithium, 7, ils ont également ajouté en tête l'hydrogène, 1, et à la fin le cuivre, 63, puis l'argent, 108, et l'or, 197. Tout ceci touche à la fantaisie.

De même, entre le chlore et le brome, entre le brome et l'iode, il manque certains termes des progressions arithmétiques fondamentales : ce sont encore là des éléments hypothétiques et à découvrir. Observons ici que leurs propriétés ne sont pas indéterminées. En effet, les propriétés physiques ou chimiques d'un élément inconnu, ou du moins certaines d'entre elles peuvent être prévues et même calculées *a priori*, dès que l'on donne le poids atomique, et mieux encore la famille, c'est-à-dire les analogies. Mais cette prévision, comme il a été dit plus haut, n'est pas une conséquence de la théorie des séries périodiques ; elle résulte purement et simplement des lois et des analogies anciennement connues, lesquelles sont indépendantes du nouveau système.

Quoi qu'il en soit, le tableau hypothétique que je viens de décrire, tableau qui comprend tous les corps simples connus et tous les corps simples possibles, a quelque chose de séduisant et qui entraîne beaucoup d'esprits.

Nous l'avons exposé dans toute sa netteté : mais le moment est venu de présenter certaines réserves. En effet, il est impossible de ne pas signaler à l'attention du critique et du philosophe l'artifice commode, à l'aide duquel les auteurs du système sont parvenus à y comprendre non seulement tous les corps connus, mais même tous les corps possibles. Cet artifice consiste à former leur tableau avec des termes qui ne diffèrent pas en définitive de plus de deux unités, termes assez resserrés pour que nul corps nouveau, quel qu'il soit, ne puisse tomber en dehors des mailles du filet. La chose est d'autant plus assurée que les différences périodiques, ou raisons de la progression, comportent souvent dans leurs applications aux poids atomiques connus des variations de 1 à 2 unités. On voit qu'il ne s'agit même plus ici de ces fractions d'unité, qui séparaient les uns des autres les multiples de l'hydrogène, et qui ont été objectées à l'hypothèse de Prout et de Dumas ; mais nous rencontrons des écarts bien plus grands, dont aucune explication théorique n'a été donnée, écarts dont l'existence ôte aux nouveaux rapprochements une grande partie de leur valeur philosophique. En tolérant de tels écarts, et en multipliant suffisamment les termes réels ou supposés des comparaisons, il sera toujours facile aux partisans d'un système, quel qu'il soit, de se déclarer satisfaits.

Sans exclure absolument de pareilles conceptions, on doit éviter d'attacher une valeur scientifique trop grande à des cadres si élastiques ; on doit surtout se garder de leur attribuer les découvertes passées ou futures, auxquelles ils ne conduisent point en réalité d'une manière précise et nécessaire. En fait et pour être sincères, nous devons dire qu'en dehors des anciennes familles naturelles d'éléments, reconnues depuis longtemps, ce ne sont guère là que des assemblages artificiels. Le système des séries périodiques, pas plus que le système des multiples de l'hydrogène, n'a fourni jusqu'ici aucune règle certaine et définie pour découvrir soit les corps simples trouvés dans ces dernières années, soit ceux que nous ne connaissons pas encore. Aucun de ces systèmes n'a fourni davantage une méthode positive, qui permette d'entrevoir, même de très loin, la formation synthétique de nos éléments ; ou qui mette sur la voie des expériences par lesquelles on pourrait essayer d'y atteindre. De grandes illusions se sont élevées à cet égard.

Ce n'est pas que de tels systèmes ne soient utiles dans la science ; ils servent à exciter et à soutenir l'imagination des chercheurs. Ceux-ci se résignent difficilement à rester sur le pur terrain expérimental et ils sont poussés dans la région des constructions et des théories, par ce besoin d'unité et de causalité, inhérent à l'esprit humain. Aussi serait-il trop dur, et inutile d'ailleurs, de vouloir proscrire toute tentative de ce genre. Mais, quelle que soit la séduction exercée par ces rêves, il faudrait se garder d'y voir les lois fondamentales de notre science et la base de sa certitude, sous peine de retomber dans un enthousiasme mystique pareil à celui des alchimistes.

De telles conceptions sont d'ailleurs trop étroites et il convient de s'élever plus haut. Au fond, ceux qui invoquent les multiples de l'hydrogène et les séries périodiques rattachent tout à la conception de certains atomes, plus petits à la vérité que ceux des corps réputés simples. Or, s'il venait à être démontré que les équivalents des corps simples actuels sont rigoureusement multiples les uns des autres, ou plus généralement, multiples de certains nombres formant la raison de progressions arithmétiques déterminées ; il en résulterait cette conclusion probable que les corps simples actuels représentent les états inégaux de condensation d'une même matière fondamentale. Cette façon de concevoir les choses n'a rien qui puisse répugner à un chimiste, versé dans l'étude de sa science.

On pourrait même invoquer à cet égard des faits connus de tous, et qui ne sont pas sans quelque analogie. Tels sont les états multiples du carbone, élément qui se manifeste à l'état libre sous les formes les plus diverses et qui engendre plusieurs séries de composés, correspondant dans une certaine mesure à chacun de ses états fondamentaux ; au même titre que les composés d'un élément ordinaire correspondent à cet élément même. Le carbone représente en quelque sorte le générateur commun de toute une famille d'éléments, différents par leur condensation : c'est d'ailleurs à la même conclusion que nous avait déjà conduit l'étude des carbures d'hydrogène. On pourrait objecter que les diversités de propriétés du carbone ne vont pas aussi loin que les diversités des éléments compris dans une même famille, celle des chloroïdes ou celle des sulfuroïdes, par exemple. En effet, le soufre, le sélénium ne reproduisent jamais les mêmes composés, en s'unissant avec l'oxygène, l'hydrogène ou l'azote ; et ils ne peuvent être régénérés par les condensations du plus simple d'entre eux. Tandis que toutes les formes du carbone, quelle qu'en soit la variété, représentent réellement les états inégalement condensés d'un même élément : toutes ces formes dérivent du carbone gazeux, état primordial, le moins condensé de tous, et dont l'analyse spectrale révèle l'existence momentanée à une très haute température. Cependant, peut-être est-ce là une simple différence de degré dans la facilité des métamorphoses. En somme, le carbone, envisagé sous ses états et ses degrés de condensation, équivaut à lui seul à une classe entière de corps simples. L'oxygène, le soufre, le sélénium, le tellure pourraient représenter au même titre, les états divers d'un élément commun. Il y a plus : l'ozone, corps doué de propriétés spécifiques très singulières et comparables à celles d'un véritable élément, a été réellement formé au moyen de l'oxygène : son existence autorise jusqu'à un certain point les conjectures précédentes.

Peut-être en est-il aussi de même de certains groupes de métaux : chacun d'eux répondant par lui-même et par la série particulière de ses combinaisons à quelqu'un de ces états du carbone, qui engendrent des séries correspondantes de dérivés. Il y a cette différence toutefois, je le répète, que les états divers du carbone peuvent être tous ramenés à certains composés identiques, tels que l'acide carbonique, l'acétylène ou le formène ; tandis que le soufre, le sélénium, les métaux, sont demeurés irréductibles dans leurs combinaisons.

§ 8. — LA MATIÈRE PREMIÈRE UNE ET MULTIFORME

Jusqu'ici nous avons raisonné comme si les éléments actuels étaient nécessairement formés par la condensation d'un élément plus simple, tel que l'hydrogène ou tout autre élément réellement existant et isolable, dont les propriétés individuelles seraient la source de celles de ses combinaisons. Mais ce n'est pas là la seule manière de comprendre la constitution de nos corps simples : il importe d'étendre à cet égard nos idées, et d'exposer une conception philosophique plus générale.

L'identité fondamentale de la matière contenue dans nos éléments actuels et la possibilité de transmuter les uns dans les autres les corps réputés simples, pourraient être admises comme des hypothèses vraisemblables, sans qu'il en résultât la nécessité d'une matière unique réellement isolable, c'est-à-dire existant d'une façon propre. L'une des hypothèses n'entraîne pas l'autre comme conséquence forcée, contrairement à ce que l'on a pensé jusqu'ici. Ceci mérite une attention toute particulière.

En effet, en admettant l'unité de la matière comme établie, on conçoit que cette matière une soit susceptible d'un certain nombre d'états d'équilibre stable, en dehors desquels elle ne saurait se manifester. L'ensemble de ces états stables renfermerait les corps simples aujourd'hui connus, les corps simples que l'on pourra découvrir un jour, et même former synthétiquement ; en supposant que l'on arrive jamais à en découvrir la loi génératrice. Mais on a toujours raisonné en assimilant ces états multiples d'équilibre de la matière à nos corps composés actuels, formés par l'addition d'éléments plus simples.

Or, on peut concevoir les choses tout autrement. Il est possible que les états divers d'équilibre, sous lesquels se manifeste la matière fondamentale, ne soient ni des édifices composés par l'addition d'éléments différents, ni des édifices composés par l'addition d'éléments identiques, mais inégalement condensés. Il ne paraît pas nécessaire, en un mot, que tous ces édifices moléculaires représentent les multiples entiers d'un petit nombre d'unités pondérales élémentaires. On peut tout aussi bien imaginer que de tels édifices offrent, les uns par rapport aux autres, des relations génératrices d'un autre ordre : telles, par exemple, que les relations existant entre les symboles géométriques des diverses racines d'une équation ; ou plus généralement, entre les valeurs multiples d'une même fonction, définie par l'analyse mathématique. La matière fondamentale représenterait alors la fonction génératrice, et les corps simples en seraient les valeurs déterminées.

Dans cette hypothèse, plus compréhensive que celles que l'on formule d'ordinaire sur la constitution de la matière ; dans cet ordre d'idées, dis-je, un corps réputé simple pourrait être détruit, mais non décomposé suivant le sens ordinaire du mot. Au moment de sa destruction, le corps simple se transformerait subitement en un ou plusieurs autres corps simples, identiques ou analogues aux éléments actuels. Mais les poids atomiques des nouveaux éléments pourraient n'offrir aucune relation commensurable avec le poids atomique du corps primitif, qui les aurait produits par sa métamorphose. Il y a plus : en opérant dans des conditions diverses, on pourrait voir apparaître tantôt un système, tantôt un autre système de corps simples, développés par la transformation du même élément. Seul, le poids absolu demeurerait invariable, dans la suite des transmutations.

D'après cette manière de voir, les corps qui résulteraient de la métamorphose de l'un quelconque de nos éléments actuels ne devraient pas être envisagés comme des corps simples par rapport à lui ; je dis à un titre supérieur à l'élément qui les aurait engendrés. Car ils pourraient, eux aussi, être détruits et transformés en un ou plusieurs autres corps, toujours de l'ordre de nos éléments présents. Au nombre de ces éléments de nouvelle formation, on pourrait même voir reparaître le corps primitif, qui aurait donné lieu à la première métamorphose. Il ne s'agirait donc plus ici de compositions et de décompositions, comparables à celles que nous réalisons continuellement dans nos opérations.

La notion d'une matière au fond identique, quoique multiforme dans ses apparences, et telle qu'aucune de ses manifestations ne puisse être regardée comme le point de départ nécessaire de toutes les autres, rappelle à quelques égards les idées des anciens alchimistes. Elle offrirait cet avantage d'établir une ligne de démarcation tranchée entre la constitution de nos éléments présents et celle de leurs combinaisons connues. Elle rendrait compte de la différence qui existe entre la chaleur spécifique des éléments actuels et celle des corps composés et carbures polymères. Elle se concilierait d'ailleurs parfaitement avec les hypothèses dynamiques que l'on énonce aujourd'hui sur la constitution de la matière.

Les divers corps simples, en effet, pourraient être constitués tous par une même matière, distinguée seulement par la nature des mouvements qui les animent. La transmutation d'un élément ne serait alors autre chose que la transformation des mouvements qui répondent à l'existence de cet élément et qui lui communiquent ses propriétés particulières, dans les mouvements spécifiques correspondants à l'existence d'un autre élément. Or, si nous acceptons cette manière de voir, nous n'apercevons plus aucune relation nécessaire de multiplicité équivalente entre les nombres qui caractérisent le mouvement primitif et ceux qui caractérisent le mouvement transformé. Cette conception, que j'ai développée devant la Société Chimique de Paris en i863, ne recourt, en définitive, pour expliquer l'existence des éléments chimiques, qu'à celle de nos corps simples actuels et des corps du même ordre, ramenés en quelque sorte à la notion de matière première.

§ 9. — LA MATIÈRE PONDÉRABLE ET LE FLUIDE ÉTHÉRÉ

D'autres veulent préciser davantage. Par une imagination fort plausible, mais dont le caractère contradictoire avec la théorie atomique véritable a été parfois méconnu, ils envisagent les particules prétendues atomiques de nos éléments comme les agrégats complexes d'une matière plus subtile, le fluide éthéré ; agrégats constitués par des tourbillons de ce fluide, sorte de toupies en rotation, douées d'un mouvement permanent et indestructible.

On voit que l'atome des chimistes, la base en apparence la plus solide et la plus démontrée de notre science, s'évanouit complètement. Si nous ajoutons que chacun de ces tourbillons se fait et se défait sans cesse, c'est-à-dire que la matière même contenue dans chacun des tourbillons demeure fixe par sa quantité, mais non par sa substance, nous retournons tout à fait aux idées d'Héraclite. C'est ainsi que, dans la philosophie scientifique de nos jours, la permanence apparente de la matière tend à être remplacée par la permanence de la masse et de l'énergie.

Un seul être ferme subsisterait alors, comme support ultime des choses, c'est le fluide éthéré. Le fluide éthéré joue ici le rôle du mercure des philosophes ; mais il est difficile de ne pas s'apercevoir que son existence réelle n'est pas mieux établie et qu'elle n'est guère moins éloignée des faits visibles et démontrables, sur lesquels roulent nos observations. C'est là aussi un symbole, une fiction destinée à satisfaire l'imagination. Les fluides électrique, magnétique, calorifique, lumineux, que l'on admettait au commencement de ce siècle comme supports de l'électricité, du magnétisme, de la chaleur et de la lumière, n'ont certes pas, aux yeux des physiciens de nos jours, plus de réalité que les quatre éléments, eau et terre, air et feu, inventés autrefois, au temps des Ioniens et au temps de Platon, pour correspondre à la liquidité et à la solidité, à la volatilité et à la combustion. Ces fluides supposés ont même eu dans l'histoire de la science une existence plus brève que les quatre éléments : ils ont disparu en moins d'un siècle et ils se sont réduits à un seul, l'éther, auquel on attribue des propriétés imaginaires et parfois contradictoires. Mais déjà l'atome des chimistes, l'éther des physiciens semblent disparaître à leur tour, par suite des conceptions nouvelles qui tentent de tout expliquer par les seuls phénomènes du mouvement.

Toutes ces théories d'atomes, d'éléments, de fluides naissent d'une inclination invincible de l'esprit humain vers le dogmatisme. La plupart des hommes ne supportent pas de demeurer suspendus dans le doute et l'ignorance ; ils ont besoin de se forger des croyances, des systèmes absolus, en science comme en morale. Dans les matières où elle n'a pas réussi à établir des lois, c'est-à-dire des relations certaines et invariables entre les phénomènes, l'intelligence procède par analogies, et elle tourne dans un cercle d'imaginations abstraites qui ne varient guère. Assurément, je le répète, nul ne peut affirmer que la fabrication des corps réputés simples soit impossible *a priori*. Mais c'est là une question de fait et d'expérience. Si jamais on parvient à former des corps simples, au sens actuel, cette découverte conduira à des lois nouvelles, relations nécessaires que l'on expliquera aussitôt par de nouvelles hypothèses. Alors nos théories présentes sur les atomes et sur la matière éthérée paraîtront probablement aussi chimériques aux hommes de l'avenir, que l'est, aux yeux des savants d'aujourd'hui, la théorie du mercure des vieux philosophes.

Ingram Content Group UK Ltd.
Milton Keynes UK
UKHW041822240323
419083UK00003B/49

9 782357 285804

Give Me LOVE